Le 17e siècle : le BAROQUE et le CLASSICISME

COLLECTION LANGUE ET
LITTÉRATURE AU COLLÉGIAL

CAROLE PILOTE

Éditions Études Vivantes
Groupe Éducalivres inc.
955, rue Bergar, Laval (Québec) H7L 4Z6
Téléphone : (514) 334-8466 Télécopieur : (514) 334-8387
Internet : http://www.educalivres.com

LE 17e SIÈCLE : LE BAROQUE ET LE CLASSICISME

COLLECTION LANGUE ET LITTÉRATURE AU COLLÉGIAL

Carole Pilote

www.etudes-vivantes.com

Page couverture : Le château de Versailles : la galerie des Glaces.

Éditions Études Vivantes
Groupe Éducalivres inc.
955, rue Bergar, Laval (Québec) H7L 4Z6
Téléphone : (514) 334-8466 Télécopieur : (514) 334-8387
Internet : http://www.educalivres.com

Ce livre est imprimé sur un papier Opaque nouvelle vie, au fini satin et de couleur blanc bleuté. Fabriqué par Rolland inc., Groupe Cascades Canada, ce papier contient 30 % de fibres recyclées de postconsommation et n'est pas blanchi au chlore atomique.

Code produit : 2888
ISBN 2-7607-0638-9

Dépôt légal : 2e trimestre 2000
Bibliothèque nationale du Québec, 2000
Bibliothèque nationale du Canada, 2000

Imprimé au Canada
1 2 3 4 5 II 03 02 01 00

AVANT-PROPOS

Une collection sous le signe de la simplicité

Conçue dans l'objectif de réunir pour l'élève du collégial tous les outils littéraires et méthodologiques nécessaires à sa formation en langue et littérature, cette collection est proposée dans une formule toute simple. Composée de 16 plaquettes indépendantes les unes des autres, elle traite d'abord de l'histoire littéraire française et québécoise des origines à nos jours puis de la méthodologie de l'analyse et de la rédaction dans le cadre de chacun des cours de la formation générale. Enfin les genres et procédés littéraires les plus fréquemment rencontrés sont abordés. Vous pourrez ainsi bâtir votre matériel pédagogique sur mesure !

L'histoire littéraire française et québécoise des origines à nos jours

Les plaquettes 1 à 12, exclusivement consacrées à l'histoire de la littérature, permettront à l'élève de rassembler les connaissances sociohistoriques et littéraires nécessaires pour cerner une époque, un courant littéraire, et les œuvres qui les reflètent. Cette bonne connaissance de l'époque facilitera l'approche et la compréhension des diverses œuvres à l'étude. Enfin, les extraits d'œuvre présentés dans les fascicules ont été minutieusement choisis précisément pour illustrer les divers courants ayant jalonné l'histoire.

Une méthodologie de l'analyse et de la rédaction

Les plaquettes 13, 14 et 15 représentent le volet méthodologique de la collection. Elles présentent les savoir-faire qui permettront à l'élève de mener efficacement l'analyse d'un texte littéraire, à en organiser les résultats sous la forme d'un plan détaillé, puis à y donner suite en rédigeant un texte écrit qui satisfasse au projet démonstratif, explicatif ou critique propre aux cours 101, 102 et 103.

Guides

Enfin, la plaquette 16 regroupe divers guides qui présentent les genres littéraires et les procédés d'écriture fréquemment utilisés dans les textes. Cette plaquette réunit l'ensemble des connaissances susceptibles de favoriser l'analyse formelle d'un texte.

Liste des plaquettes

1. Le Moyen Âge et la Renaissance
2. Le 17e siècle : le baroque et le classicisme
3. Le siècle des Lumières
4. Le romantisme et les révolutions
5. Après les révolutions : le réalisme et le symbolisme
6. De la Belle Époque à l'entre-deux-guerres : la modernité et le surréalisme
7. La guerre et l'après-guerre : l'existentialisme et le théâtre de l'absurde
8. Le monde contemporain et le roman français
9. Le roman québécois
10. Le théâtre québécois
11. La poésie québécoise
12. L'essai québécois
13. La méthodologie de l'analyse littéraire et du commentaire composé
14. La méthodologie de la dissertation critique
15. La méthodologie de la dissertation explicative
16. Guide des procédés d'écriture et des genres littéraires

TABLE DES MATIÈRES

Le 17ᵉ siècle : le baroque et le classicisme

L'appellation de « Grand Siècle » ou « Siècle d'or », utilisée fréquemment pour qualifier le 17e siècle, donne une impression d'unité qu'il faut nuancer. Louis XIV, le « Roi-Soleil » ne commence à régner qu'en 1661, et toute la première moitié du siècle échappe à son influence. Les deux périodes de régence qui la traversent affaiblissent le régime monarchique, encouragent la noblesse dans ses prétentions au pouvoir et ravivent la question protestante. Il faudra la main de fer de ministres comme Richelieu et Mazarin pour rétablir l'autorité royale et museler les adversaires ligués contre la monarchie. La seconde moitié du siècle, marquée par le triomphe de l'ordre classique et l'apogée de l'absolutisme, alternera entre des périodes de fastes et des troubles graves qui conduiront au déclin de Louis XIV. Après la mort du vieux roi renaîtront les mécontentements et les rancœurs.

La continuité avec la Renaissance est assurée à bien des égards, notamment en ce qui concerne le goût pour l'Antiquité et l'imitation de ses chefs-d'œuvre et aussi par l'intérêt porté à la question de la langue. Les salons mondains et littéraires joueront un rôle de plus en plus important, le mécénat royal poussera les écrivains à se rencontrer plus souvent, et la coexistence de plusieurs tendances littéraires produira un remarquable foisonnement de la littérature tout au long du siècle.

Le contexte sociohistorique

La première moitié du siècle : la marche vers l'absolutisme

À la fin du 16e siècle, l'enthousiasme pour la Renaissance est passé. La guerre de Cent Ans contre l'Angleterre et la Réforme protestante ont décimé la population, divisé le pays, ruiné l'économie et déstabilisé les esprits. Même si Henri IV a rétabli l'unité religieuse par l'édit de Nantes (1598), redressé les finances grâce à son ministre Sully et agrandi le royaume, il n'a pas eu le temps de consolider son œuvre. Son assassinat (1610) par Ravaillac, un catholique fanatique, montre bien la persévérance de l'intolérance religieuse en ce début de siècle. Le futur Louis XIII n'étant pas en âge de régner, la mort du roi ouvre donc une période de **régence** qui provoque un climat d'instabilité, relancé par la reprise des troubles politiques et des haines religieuses.

L'instabilité politique et religieuse

La régence est assurée par **Marie de Médicis** (épouse d'Henri IV et mère de Louis XIII), femme ambitieuse, mais qui se montre incapable de gouverner. Elle est, en fait, le jouet de son entourage, et notamment du mari de l'une de ses suivantes, un certain **Concini,** Italien avide et sans scrupules, qui parvient à assumer, sans en avoir le titre, le rôle de premier ministre. Cette direction du royaume par un étranger a pour effet d'engendrer un mécontentement général dont la noblesse essaie de tirer profit en mobilisant ses forces dans l'espoir de maintenir ses privilèges et de s'arroger davantage de pouvoir. La mobilisation se fait aussi du côté des protestants, qui voient, dans l'idée du mariage de Louis XIII à l'infante espagnole, Anne d'Autriche, le signe d'une politique ouvertement favorable à la ***Contre-Réforme catholique.*** Ils s'organisent donc militairement et renforcent leurs **places de sûreté.**

Le renforcement de l'État monarchique

C'est pourtant **Louis XIII** lui-même qui rétablira la situation en faisant d'abord assassiner Concini, puis en effaçant toute trace de son ministère : tous sont chassés, la reine mère doit s'enfuir et Albert Luys, ami du jeune roi, est nommé premier ministre. Toutefois, s'étant montré incapable de réprimer la révolte du Midi protestant (Luys meurt à Montauban), Louis XIII prend le pouvoir et confie la direction du royaume à un homme, le **cardinal de Richelieu**, qui lui apporte la volonté lucide qu'il n'a pas. Ses opposants, bien sûr, mais aussi des romantiques comme Alexandre Dumas, forgeront de lui, deux siècles plus tard, la légende de l'homme rouge : celui qui écrase la France sous sa main de fer et terrorise le roi, prisonnier de son tout-puissant ministre. En effet, le cardinal de Richelieu, qui entre au Conseil en 1624, exercera sa toute-puissance durant toute la durée du règne de Louis XIII et conduira à affermir durablement l'autorité royale.

Un principe politique : la raison d'État Dans sa tâche de restauration, le cardinal de Richelieu n'est guidé que par un seul principe : la **raison d'État** (le salut public). C'est au nom de ce principe, qui consacre le pouvoir indivisible de l'État, qu'il justifie ses décisions politiques, législatives et administratives et, particulièrement, ses implacables mesures de répression contre la désobéissance. Le roi, représentant de Dieu, est au service de cet État et il est soutenu dans sa tâche par un **ministériat** qui limite au minimum le nombre de conseillers et consacre l'autorité supérieure de Richelieu comme ministre principal.

L'élimination des opposants au régime La première priorité du ministre Richelieu est de combattre les deux groupes qui cherchent à empiéter sur le pouvoir royal : les **nobles**[1] et les **protestants.** Il met tout en œuvre pour déjouer les cabales et les complots des grands personnages résolus à sa perte et s'attaque personnellement à ruiner le Parti protestant (huguenot), auquel il reproche de constituer un État dans l'État. Le siège, puis la capitulation de La Rochelle (1627-1629), principale place de sûreté des protestants, permettent ainsi à Louis XIII de manœuvrer

1. Ici, la noblesse d'épée ou de sang ; on appelle aussi les nobles les « Grands ».

habilement : il accorde sa grâce, mais impose sa volonté. Par l'**édit de Grâce d'Alès,** le roi confirme ainsi l'édit de Nantes, pardonne aux protestants, mais supprime leurs places de sûreté et interdit leurs assemblées (synodes). Louis XIII et Richelieu ont respecté leurs droits, mais les protestants sont désormais des sujets fidèles. À ces oppositions s'ajoute aussi celle du **Parti dévot,** parti de la Contre-Réforme catholique, qui réclame l'alliance avec l'Espagne catholique et la lutte contre les protestants.

L'optimisation des mesures de contrôle de l'État La centralisation monarchique est renforcée également par de nouveaux rouages administratifs qui optimisent les mesures de contrôle de l'État. La délégation en province de commissaires munis de grands pouvoirs vise le contrôle des gouverneurs qui, grands seigneurs, cherchent à mener une politique indépendante. Les **commissaires,** bientôt installés à demeure sous le nouveau titre d'« Intendants de justice, de police et de finances », deviennent ainsi les principaux auxiliaires de la royauté, non seulement en province, mais aussi dans les colonies, et sont recrutés chez les nobles d'épée et les bourgeois dont Richelieu s'est fait l'allié. Impliqué également dans la **guerre de Trente Ans**[2], Richelieu renforce l'armée, puis la marine, presque inexistante à ce moment-là.

L'implication sociale Le cardinal de Richelieu s'implique également dans tous les domaines de l'activité sociale. Il tente de **mobiliser** au profit du roi les forces maîtrisées de la noblesse : cherchant à arrêter sa ruine, il lui réserve les charges militaires, et c'est pour la protéger contre elle-même qu'il fait appliquer rigoureusement l'interdiction des duels.

Richelieu encourage la **renaissance catholique** et aide à la réforme du clergé, s'occupe de l'ordre des bénédictins, mais en exige la soumission absolue, n'hésitant pas à emprisonner les chefs du

---

2. Guerre européenne (1618-1648) menée contre le Saint Empire, ayant pour origine les conflits religieux entre catholiques et protestants, et les inquiétudes nées en Europe des ambitions de la maison d'Autriche. Richelieu y interviendra directement à partir de 1635, après avoir soutenu secrètement les adversaires de cette dernière. Les victoires françaises de Rocroi (1643) et de Lens (1648) sur les Espagnols amènent les Habsbourg à signer le traité de Westphalie. L'Allemagne en sort dévastée et ruinée.

Parti dévot (ultra-catholiques) ou à contraindre l'Église de France à de lourds sacrifices financiers.

Richelieu contribue également au renforcement de la **bourgeoisie,** en favorisant le développement des manufactures, la construction de chemins et de canaux, et en créant des compagnies de commerce. La **colonisation** se développe au Canada par l'immigration des paysans, et Montréal est fondé par Maisonneuve en 1642.

Enfin, Richelieu voit de près au développement **intellectuel** : il protège et contrôle la *Gazette de France*, créée en 1631 par Théophraste Renaudot, et fonde l'**Académie française** en 1635. Cependant, Richelieu n'est pas aimé : sa politique coûte cher et écrase le peuple d'impôts. C'est donc avec soulagement que plusieurs accueillent sa mort en 1642. Le duc de La Rochefoucauld, déçu de la monarchie et rallié aux Frondeurs, lui rendra quand même hommage plus tard, dans ses *Mémoires* (1662).

Une seconde période d'instabilité

Louis XIII meurt peu après son ministre, en mai 1643, laissant deux fils, dont le futur Louis XIV, alors âgé de cinq ans. En échange de la restitution de ses anciens droits, le Parlement de Paris proclame la régence de la reine mère, **Anne d'Autriche,** et fournit à la noblesse et aux Parlements l'occasion de faire valoir à nouveau leurs griefs. Mais la reine mère confie le gouvernement à **Jules Mazarin,** un Italien que Richelieu avait initié à la politique et qui, comme son prédécesseur, cherche à briser la résistance des adversaires de l'autorité monarchique.

La révolte des parlementaires contre Jules Mazarin Les plus grandes difficultés viennent surtout de l'état désastreux des finances. La participation française à la guerre de Trente Ans a exigé de lourds sacrifices financiers et, lorsque Mazarin lève de nouveaux impôts, en enlevant notamment aux membres des Parlements l'hérédité de leur charge, le Parlement de Paris refuse d'enregistrer la décision. Dès 1643, le Parlement fait des remontrances au roi, mais il a beau s'irriter contre les taxes, dénoncer le despotisme ministériel, Mazarin ne les entend pas. C'est le tollé général. En 1649, le Parlement décide de se révolter, et Paris s'insurge : c'est la « Journée des barricades », qui ouvre une période de révolution, celle de la **Fronde** (révolte) **parlementaire.** Se sentant peu en sécurité dans un Paris enflammé contre Mazarin, la régente s'enfuit

Allégorie baroque représentant le roi Louis XIII, la reine Anne d'Autriche (à gauche) et, derrière elle, le futur Louis XIV. Détail d'une peinture de Claude Deruet, *L'eau* (1640-1641), Orléans, Musée des Beaux-Arts.

avec son fils, dans la nuit du 5 au 6 janvier 1649, nuit dont le souvenir marquera très fortement Louis XIV. Cette Fronde parlementaire ne durera pourtant que deux mois. Les dissensions entre les Frondeurs sont énormes. En fait, ils ne s'entendent que sur un point : leur haine pour Mazarin.

La révolte des nobles La deuxième période révolutionnaire coïncide avec le retour du **prince de Condé,** héros victorieux de la guerre d'Espagne, qui, par arrogance et ambition, se lie aux Grands et sème l'agitation. Mazarin le fait arrêter en 1650, mais son geste provoque en même temps un vaste mouvement de contestation. Les Grands décident en effet de prendre les armes. Ils soulèvent des provinces entières, suivis par les parlementaires, qui leur emboîtent le pas. C'est la **Fronde des Princes,** qui met en cause cette fois non seulement Mazarin, mais l'État monarchique tout entier. Pliant sous la tempête, pour mieux se redresser, Mazarin s'enfuit après avoir libéré le prince de Condé. Mais la division règne toujours dans le camp des Frondeurs. Les intrigues se nouent et se dénouent : le Parlement et les bourgeois d'un côté, le prince de Condé et les Grands de l'autre. Le peuple, lui, qui ne veut ni roi ni prince, se révolte à son tour et envahit les rues de la capitale. Condé doit fuir.

Après deux ans d'anarchie, le peuple, qui aspire à l'ordre et au calme, accueillera triomphalement le retour de Mazarin et de ses troupes royales.

La Fronde n'aura été qu'un feu de paille sans lendemain, la bourgeoisie étant bien loin, à ce moment-là, d'avoir la force qu'elle aura en 1789. Le calme revenu permet à Mazarin de terminer la guerre d'Espagne. À sa mort, en 1661, il recommande, comme intendant des Finances, **Jean-Baptiste Colbert**, gestionnaire de sa fortune personnelle. Le peuple français ne souhaite que la paix et l'ordre.

Le mouvement de la Contre-Réforme[3]

Le redressement catholique L'esprit de la Contre-Réforme triomphe en France dès 1610. Même si la réforme du clergé permet une meilleure administration des diocèses, le véritable redressement catholique est surtout le fruit d'initiatives individuelles. De nouvelles congrégations apparaissent, et les couvents appliquent de nouveau les anciennes règles : la vie y devient plus austère, et les visites ne sont plus permises. C'est ainsi que le couvent bénédictin de **Port-Royal** est réformé, en 1609, par la jeune abbesse Angélique Arnauld. **Saint Vincent de Paul** déploie une activité et une charité inépuisables. Il organise des missions pour évangéliser les campagnes et fonde des ordres destinés à soulager les misères de ceux qui souffrent. **Saint François de Sales**, dont l'*Introduction à la vie dévote* (1608) influence surtout la bourgeoisie et les nobles, ouvre à tout le siècle les voies d'un humanisme chrétien basé sur la tolérance.

Les dévots Toutes ces initiatives provoquent un renouvellement du sentiment religieux qui touche non seulement les ecclésiastiques, mais aussi les laïcs. Certains d'entre eux, dans des intentions d'édification, de charité et de lutte contre l'hérésie, fondent la **Compagnie du Saint-Sacrement** et ils iront même jusqu'à jouer un rôle occulte de surveillance morale et politique. Cette **Cabale des dévots**[4] inquiète pourtant le pouvoir, et Mazarin interdira la Compagnie en 1660.

---

3. Réforme catholique qui suivit, à la fin du 16e et dans la première moitié du 17e siècle, la Réforme protestante. Elle s'efforça de remédier aux abus dont souffrait alors l'Église.

4. Mouvement occulte (secret) des groupes ultra-catholiques.

Une division chez les catholiques : jésuites et jansénistes Membres de la Compagnie de Jésus, fondée par **Ignace de Loyola** en 1539, et principaux représentants de l'Église romaine, les **jésuites** ont tenté, au 16e siècle, de contrecarrer l'austérité de la Réforme protestante en mettant l'accent sur les aspects les plus sensibles et les plus spectaculaires de la religion : culte de la Vierge et pratique du rosaire ; multiplication des images et des cérémonies religieuses ; architecture grandiose et colossale, goût de la décoration exubérante, presque théâtrale. Cette entreprise de séduction, qui crée l'impression d'une vie foisonnante et exalte la gloire de Dieu en agissant sur l'imagination des fidèles, a donné naissance au style **baroque**, dont on trouve aussi l'équivalent sur le plan littéraire à la fin du 16e siècle et durant la première moitié du 17e. Les jésuites cherchent dorénavant à assurer le triomphe définitif de la Contre-Réforme en gagnant la haute société par la douceur et l'esprit de conciliation, espérant contrecarrer cette fois la rigueur janséniste à laquelle ils s'opposent au sein du mouvement catholique.

Les **jansénistes,** dévots intransigeants, prônent, au contraire des jésuites, une morale extrêmement sévère et vivent dans la terreur de Dieu. Pour eux, l'homme, marqué par le péché originel, est incapable d'obtenir le salut de son âme par ses propres forces. Il lui faut l'aide de la grâce, et Dieu ne l'accorde qu'à un petit nombre d'élus, dont ils sont. Ils doivent donc l'en remercier par toute une vie d'austérité et de rigueur. Ces idées proviennent en fait d'un ouvrage latin, l'*Augustinus* (1640), publié par l'**évêque Jansen,** qui l'introduit à l'abbaye de **Port-Royal** par l'intermédiaire de l'un de ses amis, l'abbé de Saint-Cyran. Les religieuses de Port-Royal, qui ont une grande réputation de sainteté, vivent à Paris, mais les pieux solitaires se retirent à Port-Royal des Champs où ils ouvrent de petites écoles. Ils dispensent à leurs élèves, en même temps qu'une formation morale janséniste, un enseignement remarquable faisant lourdement concurrence aux collèges jésuites.

Les jansénistes sont défendus dans la bourgeoisie parlementaire par la grande famille des Arnaud, mais les jésuites, qui flairent dans ce mouvement un relent de calvinisme[5], en alertent le pouvoir royal. En 1649, la faculté de théologie de la **Sorbonne**[6] exhorte donc le

5. Voir *La Réforme protestante au 16e siècle.*

6. La Sorbonne est sous l'autorité des jésuites.

pape à examiner cinq « propositions » tirées de l'*Augustinus.* L'ouvrage est condamné en 1653, même si les jansénistes prétendent que ces propositions n'en font pas partie.

C'est dans ce contexte qu'il faut comprendre la publication, en 1656-1657, des *Provinciales,* de **Blaise Pascal.** Cette violente et brillante satire contre les jésuites remporte un si grand succès que Mazarin, inquiet de voir certains Frondeurs repentis se retirer à Port-Royal, se décide à la persécution. L'ouvrage de Blaise Pascal est aussitôt condamné par le Parlement, et les exemplaires saisis sont brûlés par un bourreau. Louis XIV continuera la persécution en préparant un **Formulaire** condamnant le jansénisme et en obligeant tous ses ecclésiastiques à y souscrire, ce que refuseront de faire, en 1664, les religieuses de Port-Royal, qui seront alors contraintes de quitter Paris. Leur dispersion dans plusieurs monastères créera de nouveaux foyers de jansénisme. Elles ne finiront par être regroupées au monastère des Champs qu'en 1668, après avoir bénéficié d'un accord apparent, la **Paix de l'Église.** Dans les faits, les idées jansénistes n'auront pas reculé, et Port-Royal sortira grandi de la persécution.

Les libertins Cette renaissance de la piété n'est pourtant pas générale : les conceptions antiques et païennes[7] de la Renaissance n'ont pas entièrement disparu. Le spectacle des guerres de religion a même provoqué le scepticisme et l'indifférence, et cela, jusque dans les campagnes. Ainsi, en plein 17e siècle, des esprits forts cherchent encore la vérité dans les enseignements des philosophes de l'Antiquité plutôt que dans le Nouveau Testament. Partisans de la libre pensée, **sceptiques** et méfiants à l'égard de tous les dogmes[8], expliquant tout à partir du fonctionnement de la matière, les **libertins** refusent les croyances religieuses et affichent une morale qui leur dicte de suivre la nature en toute chose, sans s'embarrasser des traditions, des règles ou de l'autorité.

---

7. Les Anciens ont une religion polythéiste : ils croient en l'existence de plusieurs dieux.
8. Le dogme représente l'ensemble des croyances sur lequel est fondée la doctrine religieuse.

La seconde moitié du siècle : la monarchie absolue et l'hégémonie française

Le triomphe de l'absolutisme

Sous Louis XIII et Jules Mazarin, les nobles ont sérieusement menacé le pouvoir royal. Louis XIV a gardé un pénible souvenir de la Fronde et des révoltes parisiennes qui l'ont forcé à fuir la capitale et qui lui sont apparues comme une trahison contre le pouvoir royal. Aussi refuse-t-il comme roi de déléguer ses pouvoirs. S'il n'a peut-être jamais prononcé les mots « l'État, c'est moi », cette devise n'en traduit pas moins fidèlement sa pensée. Il a de la royauté une idée étroitement liée à la conception théocratique du Moyen Âge, selon laquelle le sacre fait du souverain l'élu de Dieu, n'ayant à répondre de ses actes que devant Lui seul et disposant librement de la propriété et de la liberté de ses sujets. Une telle conception est évidemment incompatible avec l'idée d'une quelconque représentation du peuple et ne peut admettre d'autre religion que celle du roi. Aussi les ***états généraux*** ne seront plus jamais convoqués jusqu'à la Révolution de 1789, et l'Église sera, elle, soumise à ce « Roi Très Chrétien » qu'elle devra servir avant tout. Dans la conduite des affaires de l'État, Louis XIV décide en personne de toutes les questions importantes, légifère par ses ***ordonnances,*** nomme les fonctionnaires et lève les impôts selon son bon plaisir. L'armée et la justice lui sont entièrement soumises. En fait, sa divine volonté incarne la volonté de tout son peuple.

Une administration centralisée Louis XIV choisit de préférence ses ministres et ses intendants dans la bourgeoisie, dont il n'a à craindre aucune ambition personnelle : il décerne avec profusion aux membres fidèles de la noblesse des titres honorifiques qui ne leur confèrent aucun pouvoir réel. Ses conseillers et ses ministres transmettent ses ordres aux intendants, qu'ils recrutent parmi les serviteurs les plus dévoués et qui administrent les provinces où il n'y a plus guère de résistance à craindre : la plupart des gouverneurs nobles qui résident en effet à la cour de Versailles n'ont, en fait, conservé que le commandement militaire de leur circonscription.

Les plus capables de ses ministres, **Jean-Baptiste Colbert** et le **marquis de Louvois,** réussissent tout de même à exercer une influence sur le roi, même si ce n'est qu'en présentant leurs idées personnelles comme si elles avaient été conçues par lui. Comme les états généraux ont cessé d'exister, seules les cours souveraines de justice, ou parlements, sont à même de revendiquer encore un certain contrôle du pouvoir. À la longue, leur résistance finit par être brisée, le roi étant la source de tout droit.

Louis XIV achève donc d'établir un régime parfaitement unifié qui ne connaît d'autre volonté que la sienne, ni d'autre bien que celui de l'État, aussi puissant à l'intérieur qu'à l'extérieur. La **bourgeoisie** en sort gagnante, même si elle doit sacrifier sa liberté.

Versailles : un temple du culte royal et une prison dorée pour la noblesse Le représentant de Dieu sur terre, celui que l'on a surnommé le **Roi-Soleil,** prétend à un culte jusqu'alors inconnu en Occident. Homme solide et équilibré, mais doté d'un orgueil démesuré, il se soucie de gloire, aime la flatterie et même l'adulation. Sculpteurs, peintres et hommes de lettres, tous doivent

Construction du château de Versailles, qui deviendra le centre politique et intellectuel de l'Europe du 17e siècle. Les travaux durèrent quatre ans, de 1676 à 1680. Peinture attribuée à Adam Frans van der Meulen.

le glorifier. Une étiquette compliquée règle la vie de ses innombrables courtisans. Le faste du palais est extrêmement dispendieux et contribue à creuser davantage le fossé entre la cour et la nation.

Cette cour est composée, outre la famille et les serviteurs du roi, d'un grand nombre de nobles, les courtisans, attirés par le luxe des fêtes, et surtout par la présence du roi, dispensateur de grâces et d'honneurs. Avide des avantages, des offices et des pensions que lui offre le roi, la noblesse déserte donc sans regret ses châteaux pour venir s'installer à la cour, qui devient une véritable société hiérarchisée et minutieusement réglée par une étiquette rigide transformant la vie de cour en un véritable rituel : le **cérémonial du culte monarchique.** Mais cette cour somptueuse, qui peut paraître comme la manifestation la plus frappante de l'orgueil de Louis XIV, est aussi et surtout un instrument politique destiné à attirer, à surveiller et à domestiquer tous les grands seigneurs qui, sous la Fronde, s'étaient révoltés. Louis XIV n'écarte d'ailleurs pas systématiquement les nobles des affaires : il recueille souvent les avis des courtisans qui lui inspirent confiance, tout en les surveillant étroitement afin de déjouer leurs intrigues. Mais, hors de la cour, point de salut, et qui n'y paraît pas n'a rien à espérer.

Une politique de prospérité nationale : le mercantilisme industriel Alors qu'au Moyen Âge la vie économique s'organise autour des villes et que l'agriculture en constitue le principal fondement, alors qu'aux 15e et 16e siècles l'État acquiert suffisamment d'autorité pour mener en cette matière une politique indépendante grâce aux réserves d'or et d'argent que lui procure sa politique coloniale, mais qui ne cessent de diminuer depuis, l'État doit, au 17e siècle, trouver de nouveaux moyens pour stimuler l'économie et combattre la misère menaçante.

En effet, lorsque Louis XIV accède au trône en 1661, le pays est ruiné par les conflits et les guerres extérieures. Il revient donc à Jean-Baptiste Colbert de redresser les finances et l'économie. Pour renflouer les coffres de l'État, le réaménagement du système d'imposition n'est pas suffisant. Il lui est difficile, en effet, d'augmenter la ***taille,*** et même si le roi s'attache à multiplier les impôts indirects[9], qui touchent davantage l'ensemble de la société, la masse

9. La gabelle (taxe sur le sel), les aides (taxes sur les boissons, les grains, les bois) et les traites (péages et droits de douane dressés aux frontières du royaume).

populaire est surchargée[10], et ces mesures fiscales ne sont pas de nature à lui assurer le redressement et la stabilité économique recherchés.

La politique d'intervention de son ministre dans les affaires économiques sera plus fructueuse. En effet, Colbert met en place le **mercantilisme industriel**, doctrine économique visant essentiellement à procurer à l'État les moyens d'obtenir les richesses premières que sont l'or et l'argent, seul moyen d'assurer la richesse et la grandeur de l'État. Ce que l'on appelle **colbertisme** (de Colbert) est donc une tentative de remettre de l'ordre dans les finances et dans la vie économique en s'appuyant sur une politique destinée à réaliser, par l'encouragement du **commerce** et de l'**industrie**, une balance commerciale favorable, de sorte que la valeur des marchandises exportées excède celle des marchandises importées et que les paiements soient réalisés en métaux précieux. Cet objectif amène donc Colbert à créer la **manufacture**, première forme de la grande entreprise, destinée à stimuler considérablement le développement industriel et, par conséquent, commercial du pays. Il encourage également les compagnies de commerce existantes et en fonde de nouvelles : la Compagnie française des Indes orientales, celle des Indes occidentales, la Compagnie du Nord, puis celle du Levant.

Les résultats de cette organisation étatique de l'industrie permettent au roi de développer une marine puissante et une armée bien entraînée. Le roi peut ainsi mener une **politique étrangère expansionniste**, chassant inlassablement les Espagnols, non seulement de leurs possessions (Pays-Bas, Franche-Comté, etc.), mais aussi de leur trône (par la guerre de succession d'Espagne). Si le rêve d'***hégémonie*** de Louis XIV ne se réalise pas (les grandes puissances se coaliseront pour maintenir l'équilibre européen), les armées de Michel Le Tellier et du marquis de Louvois seront puissantes, et des fortifications bastionnées par Vauban lui assureront une protection presque inviolable.

La religion unifiée Louis XIV manifeste son autorité non seulement dans les domaines politique, économique et financier, mais aussi dans les affaires religieuses. Bien qu'il ait mené dans sa jeunesse une vie peu chrétienne, dit-on, il intervient dans les affaires de l'Église de France et cherche surtout à refaire l'unité religieuse du royaume.

---

10. Il faut ajouter les multiples redevances seigneuriales et surtout la dîme ecclésiastique.

- **La persécution des protestants**
Bien que les protestants n'aient pas pris activement part à la Fronde, Louis XIV les considère comme de « mauvais sujets ». À ses yeux, l'image de la différence défigure l'État et il n'a pas renoncé au vieil idéal : « Une foi, une loi, un roi ». Si, de 1661 à 1679, il applique l'**édit de Nantes** à la lettre, il le fait de façon de plus en plus **restrictive** : il réglemente les heures des cérémonies ; des temples nouvellement construits sont démolis, et les protestants sont progressivement exclus des fonctions officielles et de nombreuses professions.

En même temps, Louis XIV entreprend une politique de **conversion massive.** Une caisse de conversion est fondée en 1676 : on espère ainsi obtenir l'abjuration des pauvres en attirant ces derniers avec de l'argent. Après 1679, au sommet de sa gloire et voulant que tout plie devant sa volonté, le roi entreprend de forcer les réformés (les protestants) à réintégrer le sein de l'Église catholique. La très dévote **Mme de Maintenon,** qu'il a épousée secrètement après la mort de sa femme et dont l'influence est grande sur lui, n'est certes pas étrangère à cette décision. Or, Colbert, qui protégeait les protestants à cause de leurs activités financières et industrielles, meurt en 1683, laissant l'influence du marquis de Louvois, principal responsable des **persécutions,** sans contrepoids. On recourt à la violence : on démolit et on rase, on effraie et on persécute. Une surveillance policière des naissances et des décès est organisée dans le but d'imposer aux familles protestantes le baptême des nouveau-nés et l'abjuration des moribonds. On inaugure le système des **dragonnades** dans lequel des gens de guerre en déplacement, les dragons, sont logés dans les maisons des protestants où ils font tant de pillages, d'atrocités et de tortures, que la seule annonce de leur approche suffit à provoquer des conversions massives.

Le 18 octobre 1685, Louis XIV annonce brusquement la **révocation de l'édit de Nantes.** L'Église réformée n'a donc plus d'existence légale, et cette nouvelle est accueillie dans le monde catholique par un concert de louanges presque unanime. Tout le monde se réjouit, même Jean de La Bruyère, même le sage Jean de La Fontaine et la marquise de Sévigné. Seules des voix isolées, celles du maréchal Vauban, de Sébastien de Saint-Simon, s'élèveront contre le recours à la violence et dénonceront les conséquences de la révocation, et encore ne le feront-elles qu'assez longtemps après.

Les protestants répondent par une fuite massive, et ce, malgré les ordres du roi. Beaucoup d'entre eux, qui ne s'étaient convertis qu'en apparence, cherchent refuge à l'étranger. Leur nombre dépasse assurément 200 000. La plupart étant commerçants, manufacturiers ou artisans, leur départ ne fera qu'accentuer le **déclin de l'économie** à la fin du règne. Les réformés restés en France organisent le culte clandestinement et préparent une terrible insurrection qui éclatera en 1702, dans les Cévennes : la **guerre des camisards.** Ces insurgés, qui sortent des montagnes et y disparaissent, multipliant embuscades et coups de main, sont très habiles et très organisés. Ils poursuivent sans relâche leur guerre sainte jusqu'au moment où, au plus dramatique de la guerre de succession d'Espagne, il faudra envoyer, sous le commandement du maréchal de Villars, plus de 20 000 hommes de troupes pour en venir à bout, et ce, après avoir usé largement de clémence. À cette date, Louis XIV a dû reconnaître son **échec sur le plan religieux** puisqu'il maintient l'interdiction de l'Église réformée, mais n'use plus contre elle d'aucune contrainte.

- **La persécution janséniste, la question gallicane et l'échec de l'unité religieuse**
Les jansénistes, dont le prestige n'a cessé d'augmenter depuis la Paix de l'Église, repassent à l'attaque contre les jésuites, sous la direction d'un oratorien, le père Quesnel, qui publie, en 1693, ses *Réflexions morales sur le Nouveau Testament.* En 1701, ce curé de Clermont-Ferrand amène sur la place publique un **cas de conscience**[11]. Louis XIV, qui se sent pris au piège par cette question relative au formulaire par lequel il condamnait les jansénistes, manifeste sa colère et reprend de plus belle les persécutions violentes contre ces derniers. C'est du pape lui-même qu'il veut obtenir la condamnation officielle, ce qu'il obtiendra d'ailleurs.

Cependant, la tendance **gallicane**, qui favorise la liberté de l'Église tant à l'égard du pape qu'à l'égard du roi, est forte en France, surtout à la Sorbonne, laquelle, après avoir examiné la condamnation papale à la lumière des libertés gallicanes, la

11. Le cas de conscience est le suivant : « Un prêtre peut-il donner l'absolution à un autre qui, en ce qui concerne le formulaire, s'est réfugié dans le silence respectueux ? », ce qui veut dire qu'il n'a signé le formulaire que par respect et esprit d'obéissance, alors que mentalement il s'y objectait.

refusera. Irrité, Louis XIV tourne sa colère contre Port-Royal : les religieuses sont à nouveau chassées, et le monastère est fermé en 1709 ; au cours des années suivantes, les bâtiments mêmes de Port-Royal des Champs sont rasés. Jansénistes et gallicans seront désormais alliés et feront, durant tout le 18e siècle, une opposition redoutable à la monarchie. La politique religieuse de Louis XIV a échoué. L'emploi de la force n'a réglé ni la question protestante, ni la querelle gallicane, ni l'affaire janséniste. Au contraire, elle n'a fait que favoriser, dans les milieux nobles et bourgeois, les progrès du scepticisme et de l'incrédulité.

- **Le déclin**

Si, aux environs de 1675, la France est au sommet de sa puissance, à partir des années 1680 elle se sclérose et entame son déclin. Le coût de l'armée et de la cour pèse lourdement sur une population en pleine croissance démographique, et chaque levée d'un nouvel impôt provoque des émeutes populaires. Les mauvaises récoltes, la cherté des produits de première nécessité, la fuite des protestants, maîtres d'un artisanat préindustriel après la révocation de l'édit de Nantes, donnent la mesure des difficultés économiques qui affaiblissent la fin du règne. Le Roi-Soleil, au centre d'une étiquette rigoureuse, distribue les faveurs avec calcul à ses courtisans et se replie progressivement avec Mme de Maintenon dans un gouvernement moins ostentatoire.

Malheureusement, les créations de Jean-Baptiste Colbert ne sont pas durables. La politique de guerre du roi, les dépenses somptuaires de celui-ci, son dédain pour les choses économiques, et surtout une mauvaise conjoncture économique européenne, rendent les exportations difficiles et augmentent la méfiance de la bourgeoisie française qui non seulement n'a plus le goût du risque, mais encore se trouve considérablement restreinte après l'exode protestant suscité par la révocation de l'édit de Nantes par le roi.

L'intransigeance religieuse et la volonté d'hégémonie de Louis XIV rendent intraitables tous les ennemis protestants de la France (Hollandais, Suédois, électeurs de Brandebourg), de même que les ennemis traditionnels catholiques de celle-ci (l'Espagne et l'empereur de Habsbourg), qui s'unissent contre elle : c'est la **ligue d'Augsbourg.** Les guerres dureront longtemps, entrecoupées de courtes périodes de paix. Presque toute l'Europe sera coalisée contre la France et, lorsque se termine, en 1715, le plus long règne de l'histoire, les splendeurs sont oubliées, le pays est épuisé et amer. C'est la fin de la prépondérance française en Europe et le déclin de l'absolutisme.

Les courants de pensée

Plusieurs courants de pensée coexistent, se succèdent, s'entrecroisent ou se combinent dans la France du 17e siècle, et trouvent leur expression simultanée dans la littérature et l'art de l'époque.

La persistance de la pensée antique

L'esprit de la Renaissance, qui valorisait l'Antiquité, reste vivant tout au long du siècle. L'importance accordée à l'enseignement des « ***Humanités*** » fait que la vie intellectuelle est imprégnée de références aux *cultures latine et grecque*, tout autant en ce qui concerne l'inspiration et l'écriture que la composition. C'est la **rhétorique antique**, avec ses exigences de clarté et de rigueur empruntées à l'éloquence et à l'histoire romaine (Cicéron, Tacite, Tite-Live), qui sert à la fois de modèle aux traités méthodiques de **René Descartes** et aux discours éloquents de **Jacques Bossuet.**

Les courants philosophiques antiques, particulièrement le ***stoïcisme*** et l'***épicurisme,*** continuent aussi d'influer sur la pensée. Le stoïcisme, valorisant les valeurs de l'héroïsme, du courage et de la volonté, trouvera écho dans les œuvres littéraires de la première moitié du siècle. Il s'agit de cette doctrine qui enseigne à l'homme à ne pas fléchir sous la souffrance et à affronter avec dignité les malheurs afin de préserver sa liberté intérieure. Et c'est bien cette morale que l'on trouve dans les premières tragédies de **Pierre Corneille,** notamment dans *Le Cid,* où le héros Rodrigue maintient intacte sa liberté malgré les sacrifices personnels auxquels il doit consentir, car ceux-ci sont liés à un idéal qu'il a librement décidé d'accepter. C'est aussi cette morale qui transpire à travers la pensée rigoriste des jansénistes. Pour sa part, l'épicurisme, qui prône l'athéisme, explique le monde par la théorie des atomes et enseigne à profiter de la vie, trouve écho dans les préoccupations de la société raffinée sous le règne de Louis XIV et se développe plus particulièrement dans le milieu de ces **libres penseurs** qu'on appelle **libertins.**

Cette admiration pour l'Antiquité se traduit dans les œuvres par les références mythologiques, le nom des personnages, le choix des thèmes ou le contexte culturel. Ainsi, **Jean de La Bruyère** donne-t-il aux personnages de ses portraits des noms grecs. **Fénelon,** dans son traité d'éducation destiné au jeune duc de Bourgogne, petit-fils de Louis XIV, met en scène Télémaque, fils d'Ulysse, accompagné de Mentor, qui n'est autre que l'incarnation de la déesse Athéna. Quant à **Nicolas Boileau,** il affirme avec vigueur, dans ses *Réflexions sur Longin,* la valeur indiscutable des œuvres d'Homère, de Platon, de Cicéron et de Virgile.

Une réflexion nouvelle sur la nature et la condition humaines

La fin de la Renaissance, liée à la violence des guerres civiles et des conflits religieux, a conduit l'homme à des incertitudes politiques, religieuses et intellectuelles qui donneront naissance, au 17e siècle, à plusieurs nouveaux courants de pensée, signe qu'une réflexion nouvelle s'engage sur la nature et la condition de l'homme : un **courant mondain** d'abord qui, même s'il propose un nouvel idéal humain, celui de « l'honnête homme », n'en permet pas moins l'expression et le lieu de toutes les tendances ; un **courant de pensée catholique,** ou **courant dévot,** qui propose une figure misérable de l'homme, mais marque des divergences fondamentales sur le problème de son salut ; enfin, un **courant de pensée rationaliste** qui permettra à un petit groupe d'intellectuels de découvrir dans la science de l'homme et du monde les éléments constitutifs d'une nouvelle conception de la vie et qui se traduira, à la fin du siècle, par la montée du **courant de pensée libertin,** qui conduira le 18e siècle au matérialisme tant redouté par les dévots.

Le courant mondain

Le courant mondain prend naissance durant la première moitié du 17e siècle, pour contrer la grossièreté des manières, la rudesse des mœurs et l'extravagance des comportements affichés depuis le règne d'Henri IV, où s'ouvre une période d'instabilité politique et religieuse qui affecte la vie de cour. L'aristocratie et la haute

Un salon précieux où se rencontraient surtout des femmes. On y cultivait les raffinements des manières et du langage. Gravure d'Abraham Bosse : *Les vierges folles*, vers 1640.

bourgeoisie, qui constituent l'élite mondaine, se déplacent donc vers les nombreux **salons,** dont les plus réputés sont l'hôtel de la **marquise de Rambouillet** et celui de **Madeleine de Scudéry.** Lieux de rencontre des artistes, des écrivains et des intellectuels de toute tendance, les salons sont des foyers de développement et de bouillonnement culturels incontestables.

L'esprit mondain se caractérise d'abord par son haut degré de **raffinement,** aussi bien dans les manières que dans le langage, de même que par une **ouverture d'esprit** qui favorise l'échange des idées et la recherche d'un **idéal de conduite.** Cet esprit, que l'on a qualifié de « **précieux** », n'est pourtant pas particulier à la société mondaine française du 17e siècle. Rappelons-nous qu'il a déjà fleuri au Moyen Âge, au temps de la courtoisie, y inspirant des valeurs de galanterie amoureuse et héroïque. À la fin du 16e siècle et au début du 17e siècle, il règne sous des formes différentes dans plusieurs pays d'Europe (l'euphuisme en Angleterre, le ***marinisme*** ou concettisme en Italie, le gongorisme en Espagne). La recherche de l'élégance se traduit aussi bien dans les vêtements, les règles de politesse et les grâces de la conversation que dans la noblesse des sentiments et le goût de la beauté.

Le 17e siècle voit donc apparaître un nouvel idéal humain. Favorisé par une normalisation sociale qui, au plus fort de la monarchie absolue, établit des règles de plus en plus rigides et condamne sans conteste la singularité, s'instaure à la Cour Royale et dans les nombreux salons mondains le modèle de l'**honnête homme,** auquel il convient de se conformer. Ce modèle de comportement humain réunit toutes les qualités qui font le succès. Personnage universel, l'honnête homme est cultivé, d'un goût délicat, sûr dans son jugement. Il possède une bonne éducation, est galant, poli, courtois, sait éviter l'affectation, le pédantisme, l'excès. Bref, il s'agit pour lui de faire bonne figure en toute circonstance et de respecter dans sa conduite ces deux règles fondamentales : la juste mesure et la modération. Ainsi se construit une société homogène, celle décrite par les auteurs de la génération classique.

Le courant catholique

Le courant catholique, on l'a vu, s'est développé à partir de la fin du 16e siècle, au moment des guerres de religion, pour d'abord contrebalancer la montée du protestantisme. Toutefois, à mesure que disparaît la menace protestante, les catholiques s'attaquent à ce qui a été le refuge et la sagesse des derniers humanistes renaissants : l'**individualisme**. Or, les catholiques perçoivent ce culte du moi comme un sentiment d'amour-propre qui minimise la toute-puissance de Dieu, d'abord parce qu'il postule la bonté naturelle de l'homme et, ensuite, parce qu'il permet de croire que l'homme peut trouver son équilibre seul, sans l'intermédiaire des dogmes. Or, si l'horreur du moi est un point commun des courants catholiques, des divergences de pensée (les jésuites s'opposent aux jansénistes représentés par Blaise Pascal et Port-Royal) les distinguent néanmoins suffisamment pour créer des dissensions qui amèneront les jésuites à persécuter les jansénistes. La différence entre ces deux doctrines catholiques et l'humanisme est que, pour ces doctrines, le mal est à la racine même de l'homme et que l'humanisme y fait figure misérable.

Le courant rationaliste

La confiance en la raison est aussi ancienne que la philosophie elle-même. Mais le scepticisme qui ébranle la fin du siècle précédent, de même que le **progrès des sciences** et plus particulièrement des mathématiques, amène une nouvelle façon de penser scientifiquement l'homme et sa condition, laquelle s'écarte irrémédiablement de l'euphorie humaniste caractérisée par une boulimie de connaissances que l'on entassait avec ardeur dans les sommes encyclopédiques.

Fondateur du ***rationalisme*** moderne, père de la science expérimentale, **René Descartes** n'accepte plus de réduire la connaissance à une accumulation de faits hérités des Anciens ; il rejette toutes les connaissances acquises qui, selon lui, ne peuvent mener à la vérité. Il met tout en doute et part de la seule certitude possible, qu'il résume dans cette formule bien connue du célèbre *Discours de la méthode* : « Cogito, ergo sum », c'est-à-dire « Je pense, donc je suis », qui fait du raisonnement logique et mathématique le seul moyen qui conduise à la vérité des choses. Bien des penseurs du 17e siècle seront attirés par l'exactitude et le sens critique de cette **philosophie cartésienne.**

Le courant libertin

Le courant libertin, qui développe un esprit de contestation fondé essentiellement sur la revendication de la **liberté d'esprit**, prolongera la pensée individualiste en s'opposant aux valeurs morales et religieuses restaurées par la Contre-Réforme. Rattaché au courant rationaliste par sa confiance en la raison et opposé au courant catholique par son indifférence vis-à-vis de la matière religieuse, ce courant développe une ***philosophie matérialiste*** qui trouvera surtout un écho favorable dans les milieux scientifiques et philosophiques de la fin du règne de Louis XIV. Participant au développement de l'esprit critique et à l'élaboration d'un idéal politique et moral fondé sur la générosité et la tolérance, sur la critique des mœurs tout autant que sur celle de la superstition et des miracles, le courant libertin favorisera la naissance, au 18e siècle, d'un véritable esprit scientifique.

Le contexte littéraire

Les courants littéraires : du baroque au classicisme

Opposer baroque et classicisme et les présenter comme des périodes littéraires successives divisant le siècle en deux, avec comme date charnière 1661, date du début du règne de Louis XIV, est une façon commode de caractériser la littérature du 17e siècle et de jalonner à l'intérieur de ces deux périodes la profusion et la diversité des mouvements, des genres, des thèmes et des procédés littéraires qui les composent effectivement. Aussi, pour bien saisir les nuances, il faut savoir que l'évolution littéraire de cette période est particulièrement liée aux événements historiques et fortement influencée par le mouvement des idées qui impriment au siècle, au sortir de la tourmente, sa longue marche vers les raffinements de la raison, de l'ordre et de l'absolu, mais aussi de la contestation et de la critique.

En fait, la vie littéraire du 17e siècle oscille entre deux courants littéraires majeurs : d'une part, le **baroque**, qui touche la littérature de 1580 à 1640 et qui traduit la complexité politique, religieuse et culturelle d'une première moitié de siècle troublée et instable ; d'autre part, le **classicisme**, triomphant surtout après 1660, qui, à l'inverse, exprime la grandeur, la rigueur et la noblesse d'une monarchie louis-quatorzième fortement centralisée. Le premier se réclame de la liberté et cherche à exprimer la vie sous toutes ses formes, le mouvement et les passions dans leur paroxysme ; le second se préoccupe davantage d'universalité, de clarté, de mesure, d'élégance et, par-dessus tout, de raison. Entre les deux, une période de transition où s'expriment des tendances diverses : **préciosité** et ***burlesque***, **rationalisme** et ***libertinage***.

Cette rivalité s'observe d'abord en **poésie**. La plus ancienne, qui relève de la mentalité et de l'esthétique baroque, est une poésie du cœur et de l'âme, encore inféodée à la tradition humaniste et qui s'évade dans l'imaginaire et les ivresses de la sensibilité. La plus moderne, illustrée par Malherbe et ses disciples, revendique la rupture avec cette tradition sensible. Bien qu'elle n'innove pas en matière de formes, elle rejette pourtant les raffinements, les outrances et les extravagances de la première et entend lui opposer une esthétique de la raison, faite de clarté, de naturel et d'équilibre. Elle s'attache donc à l'intelligence et au jugement et dénie tout sensibilité et tout individualisme. Elle aspire et parvient déjà au classicisme.

La même rivalité s'exprime aussi, et peut-être même davantage, au **théâtre**, qui voit s'opposer la **tragicomédie**, sorte de superproduction expressionniste où la pièce prend les allures d'un feuilleton rocambolesque, et la **tragédie** authentique avec ses graves débats philosophiques, politiques ou moraux, ses nobles héros et leurs destins tout-puissants. La victoire progressive de cette dernière, voulue par les doctes, soutenue par le pouvoir et pratiquée par des écrivains d'élite, est ainsi liée à celle de l'esprit et de l'esthétique classique sur la mentalité et l'art baroque.

Le baroque

À l'agitation politique, religieuse et sociale qui caractérise le dernier tiers du 16e et la première moitié du 17e siècle, correspond, en littérature et dans les arts, une période baroque qui reflète le monde agité et rompu de cette époque.

Liée d'abord (en architecture surtout) aux élans d'une Contre-Réforme catholique qui cherche à se démarquer du protestantisme austère et rigoureux en valorisant une expression artistique marquée par la somptuosité et la pompe, la littérature baroque est **flamboyante, exubérante, excessive, complexe** et **variée.** Elle est de l'ordre du trop-plein, de l'excès, de l'ostentation et s'enracine dans une cour luxuriante et dans des salons aristocratiques où l'on s'enivre de romans héroïques ou idylliques, peut-être pour mieux oublier que l'on se massacre allègrement et que les complots et assassinats se succèdent et se multiplient sur une toile de fond tissée de misères populaires. Les écrivains et les artistes n'échappent pas à cette contradiction. Épris de beauté, attirés par l'exubérance, la saveur et la complexité de la vie tout autant que par ses retournements, ses métamorphoses, son illusion et sa mouvance, les écrivains baroques de ce début de siècle donneront, surtout en poésie, mais plus encore dans le théâtre, terrain propice au spectacle, des signes palpables de la transformation incessante du monde.

Cette instabilité change donc le rapport à l'œuvre d'art : perçue comme subjective, gommant le plus possible la distance entre l'auteur et le public, l'œuvre baroque s'adresse d'abord à la sensibilité et à l'imagination qu'elle cherche à provoquer par son mouvement et ses images-chocs. L'univers fragmenté et complexe dont elle cherche à traduire l'**exubérance,** l'**irrégularité,** l'**inconstance** et l'**instabilité** (on parle de « mouvance baroque ») stimule la liberté créatrice qui s'exprime à travers les voies sombres ou lumineuses, mais toujours multiples et contestataires, du réalisme, de la fantaisie ou de l'imagination. Tout l'effort du pouvoir consistera d'ailleurs, du cardinal de Richelieu à Louis XIV, à endiguer ce désordre, cette profusion, cette liberté, par des mesures qui, sous l'apparence de la protection (mécénat) et de l'essor culturel, n'en demeurent pas moins des mesures évidentes de contrôle et d'assujettissement.

L'esprit baroque envahira la littérature jusqu'en 1630 environ (règne d'Henri IV, régence de Marie de Médicis, début du règne de Louis XIII) et survivra, jusqu'en 1661, dans la préciosité et le burlesque, deux formes d'expression, en un sens, tout aussi excessives : la préciosité, parce qu'elle recherche le raffinement ultime de l'esprit et du style ; le burlesque, son opposé, parce qu'il traite en termes comiques, voire grossiers, de choses sérieuses.

La poésie baroque

La poésie lyrique de la première vague baroque prend la forme d'un militantisme religieux représenté d'abord par les attaques virulentes d'Agrippa d'Aubigné contre les catholiques, puis ensuite, plus largement, chez des poètes comme Chassignet (1578-1635) et de La Céppède (1578-1635), par l'appel constant à un monde céleste présenté comme seule permanence du monde. Chez eux, religion, esthétique et poétique ne font qu'un pour traduire un lyrisme chrétien imprégné de visions macabres, d'effets pathétiques et de toute une imagerie funèbre et horrible destinée à faire place à la joie d'avoir découvert Dieu. La seconde tendance, plus sceptique et plus diversifiée cependant, se trouve notamment chez des libertins comme Saint-Amant, Tristan l'Hermite ou Théophile de Viau, surréalistes avant la lettre, lesquels se montrent particulièrement sensibles à l'éternel mouvement, aux changements incessants des formes naturelles, aux métamorphoses de l'univers physique et qui jouent avec le langage et les ambiguïtés du monde sans autre finalité que le plaisir de l'imagination et de la création.

Le théâtre baroque

Pour ce qui est du théâtre de cette époque, il se caractérise par son opposition à toute règle, sa démesure, et son mélange des genres et des tons. L'action dramatique y est d'une extrême complexité : elle se développe sur plusieurs jours, prend place dans des lieux multiples, représente des faits souvent invraisemblables et joue sur la terreur et la cruauté. La **pastorale** dramatique, notamment, qui se déroule dans un cadre champêtre idéalisé où les amours entre bergers et bergères se font et se défont, connaît un vif succès avec **Alexandre Hardy** et **Théophile de Viau.** Les interventions divines et les épisodes burlesques y sont fréquents. Bien que l'action présente une certaine concentration dans l'espace et dans le temps, le genre est souvent agrémenté de ballets ou de chants. Dans ce théâtre irrégulier se joue également la **tragicomédie** (tragédie à fin heureuse), qui connaît ses premiers succès avec Jean de Schélandre et Alexandre Hardy, puis donne jusqu'en 1660 son flot d'œuvres.

Reprenant les thèmes, les personnages et les procédés des romans héroïques à la mode, où aventures et amours contrariées constituent des ingrédients principaux, elle se caractérise, elle aussi, par la complexité et la démesure : longueur de l'action (péripéties et rebondissements fréquents, actions multiples et non unifiées), durée fictive allant de plusieurs jours à plusieurs mois ou années, multiplicité des lieux et des personnages, mélange des tons, le tout rassemblé sans aucune vraisemblance, simplement pour frapper, griser l'imagination et la sensibilité, à l'instar du théâtre shakespearien ou des drames espagnols de l'époque.

Les thèmes baroques

Les principaux thèmes baroques expriment l'**instabilité** et l'**inconstance** : le **mouvement** d'abord, qu'on traduit par des images aériennes (envol, bulle, papillon) ou aquatiques (mer, vague, onde) figurant la légèreté, la fluidité et la mouvance ; la **métamorphose** ensuite, qui révèle la nature changeante qui caractérise la vie de l'homme, et dont l'image emblématique est celle de Protée, héros mythologique qui peut changer de forme à volonté ; la **diversité** enfin, soulignée par le mélange ou la fusion d'éléments hétéroclites ou disparates.

Le baroque privilégie également le thème de l'**illusion**, née de la dissociation de l'être et du paraître, et qui témoigne du doute permanent de l'homme sur la réalité des **apparences.** Ainsi trouve-t-on des images symboliques (arc-en-ciel, reflets) et surtout toutes les formes du **déguisement** (masques, fard) ou de **magie.** Le lieu de prédilection de cette illusion est évidemment le théâtre où se crée un monde artificiel et où se confondent réalité, imaginaire et illusion et dont les thèmes révèlent non seulement le souci du paraître, mais aussi une tendance à l'ostentation marqués par la démesure (profusion, excès, surcharge), le goût du décor, l'attrait pour le rêve et le fantastique.

Lié au **théâtre** et notamment à la tragédie, le baroque génère aussi des thèmes liés à la mort, à la **souffrance** du corps et aux situations extrêmes de la conscience : amants et héros déchirés, martyrs, combats extrêmes. Dans les histoires tragiques, sortes de chroniques complaisantes de l'horreur relatant des affaires criminelles, se trouvent des thèmes où se dénotent le goût du baroque pour la cruauté et le frisson, l'incongru et le bizarre : mort (meurtres ou suicides), viol, amours dénaturées, sorcellerie et envoûtement. La **poésie** baroque privilégie notamment la méditation sur la mort. Les vers funèbres abondent : visions, tombeaux, consolations, regrets. Comme on s'intéresse à rendre visible la réalité de la mort, on exploite les thèmes et les images macabres avec leur cortège de corps putréfiés, de squelettes, d'ossements et d'agonies. Le poète tient ainsi à rappeler le caractère éphémère de la vie, renvoyant le croyant à la seule permanence de Dieu.

Les procédés d'écriture baroque

Comme l'inspiration baroque se réclame de la **liberté** et de l'imagination, qu'elle se complaît dans une imagerie pathétique, horrible, angoissante et tourmentée, elle privilégie, dans ses œuvres, une **construction libre** et une **structure variée.** Ainsi, les écrivains baroques refusent-ils les règles et l'unité : on abandonne les contraintes du sonnet, le théâtre n'a pas d'unité, et le foisonnement baroque se traduit par l'**absence d'articulations logiques** et la présence d'**accumulations.** Cherchant à impressionner, l'écriture baroque se montre donc souvent excessive pour décrire la beauté ou la laideur. Favorisant une esthétique de l'émotion et du tragique, elle cherche les comparaisons fortes, utilise l'hyperbole et l'accumulation. Désirant faire apparaître les contradictions du monde, elle cultive le **jeu des oppositions,** qui brouillent et multiplient la vision : antithèses, paradoxes, combinaison de registres différents. En ce sens, la **métaphore** est une figure essentielle, car elle permet, par la superposition et la multiplication d'univers distincts auxquels elle donne cours, de produire l'impression d'un mouvement continu. En créant une variété infinie de substitutions, elle permet au poète de traquer les apparences successives et souvent contradictoires du monde réel. Le poète confond et associe alors des objets et des êtres éloignés ; ces rapprochements juxtaposent des éclairages étonnants, des chocs, des surprises. En fait, le procédé métaphorique accumule les changements et crée des rapports insoupçonnés et stimulants pour l'intelligence et l'imagination, et c'est cette mouvance composite qui fait considérer le baroque comme une extravagante aberrance. La métaphore finit alors par proposer une vision du monde où tout est animation et correspondance, et où la vie est frénésie et illusion.

Tableau 1 Le courant baroque en bref

- L'œuvre baroque est subjective et s'adresse d'abord à la sensibilité et à l'imagination.
- Exubérante et excessive, elle traduit la complexité de la vie, ses métamorphoses, son illusion et sa mouvance.
- Ses thèmes traitent du changement, de la métamorphose, de la diversité et de l'illusion alors que son écriture favorise une esthétique de l'émotion forte et du tragique : liberté, mélange, foisonnement, complexité autant dans les formes que dans la structure.
- Le courant baroque est la voix du désordre.

Illustration d'un texte baroque et libertin : « Trois grands fleuves », extrait des *États et empires du Soleil* de Savinien de Cyrano de Bergerac (posth. 1662)

Présentation de l'auteur Savinien de Cyrano de Bergerac est né en 1619. Après une jeunesse tumultueuse et une brève, mais intrépide, carrière militaire (il fut engagé comme mousquetaire à l'âge de vingt ans), interrompue subitement à cause de deux graves blessures, Savinien de Cyrano de Bergerac suit les leçons du philosophe libertin Gassendi. Durant les événements de la Fronde, son attitude sera ondoyante et opportuniste, tantôt favorable, tantôt hostile aux Frondeurs (il croit au privilège de l'intelligence calculée, de l'ordre : c'est un lecteur de Machiavel). Athée et libertin, il se fait de nombreux ennemis et ne parvient pas à faire publier sa tragédie, *La mort d'Agrippine* (1653), qui sera interdite à cause de ses idées contestataires, ni ses deux romans d'anticipation, *Les états et empires de la Lune* et *Les états et empires du Soleil* (1652) qui, sur un fond de descriptions réalistes et d'oppositions burlesques, mêlent passages comiques, discours philosophiques et propos subversifs.

Cyrano de Bergerac (1619-1655)

Il meurt en 1655 dans un accident, vraisemblablement un attentat (il reçoit une poutre sur la tête). Edmond Rostand, par la pièce *Cyrano de Bergerac* (1897), transformera l'homme en légende : celle d'un homme enlaidi par un nez démesurément long, qui n'ose avouer son amour à Roxane, conquise, quant à elle, par la beauté de Christian.

Présentation de l'œuvre et de l'extrait Aux yeux du public de son époque, et à cause de ses écrits où il laisse libre cours à une imagination pleine de vitalité et de hardiesse, Cyrano de Bergerac passe pour un extravagant. Il aime effectivement la fantaisie, l'invraisemblable, le coq-à-l'âne, les images délirantes : tout l'art de la divagation baroque exulte sous sa plume, mais à une époque où le baroque s'est assagi. Ce décalage et cette fantasmagorie en font un original, mais libèrent aussi en lui toutes les virtualités de la libre pensée libertine : il adhère aux thèses les plus visionnaires, il s'enthousiasme pour tout ce qui est hétérodoxe. Disciple de Nicolas Copernic et de Galilée, il s'insurge contre le *géocentrisme* et l'*anthropocentrisme* des chrétiens : il se proclame athée et se moque ouvertement de la révélation religieuse ; il dénonce toutes les valeurs morales comme autant d'absurdités qui tyrannisent le désir, le plaisir et l'individualisme ; il voit la nature comme une vaste fermentation. Denis Diderot, au siècle suivant, se souviendra de son matérialisme et de son vitalisme. Il s'intéresse avant Blaise Pascal à l'espace, à l'infiniment grand et à l'infiniment petit ; il exaspère son lecteur en refusant tout compromis et en l'obligeant à une sorte de voyage intellectuel et initiatique qui va au bout de toutes les hypothèses. Sur le mode du récit d'anticipation ou de science-fiction, l'auteur visite les « états et empires du Soleil » peuplés d'oiseaux qui vivent en une république sagement ordonnée. À peine arrivé, Cyrano est arrêté, emprisonné et menacé de mort. Par l'instruction de son procès criminel, l'auteur dénonce l'orgueil absurde et démesuré de l'anthropomorphisme officiel et saisit l'occasion de remettre l'homme à sa juste place dans l'univers.

Trois grands fleuves…[12]

Cyrano de Bergerac

Trois grands Fleuves arrosent les campagnes brillantes de ce monde embrasé. Le premier et le plus large se nomme la Mémoire ; le second, plus étroit, mais plus creux, l'Imagination : le troisième, plus petit que les autres, s'appelle Jugement.

5 Sur les rives de la Mémoire, on entend jour et nuit un ramage importun de geais, de perroquets, de pies, d'étourneaux, de linottes, de pinsons et de toutes les espèces qui gazouillent ce qu'elles ont appris. La nuit, ils ne disent mot, car ils sont pour lors occupés à s'abreuver de la vapeur épaisse qu'exhalent ces lieux
10 aquatiques. Mais leur estomac cacochyme[1] la digère si mal qu'au

12. Savinien de CYRANO de BERGERAC, *Les états et empires du Soleil*, 1662.

matin, quand ils pensent l'avoir convertie en leur substance, on la voit tomber de leur bec aussi pure qu'elle était dans la rivière. L'eau de ce Fleuve paraît gluante et roule avec beaucoup de bruit ; les échos qui se forment dans ses cavernes répètent la parole jusqu'à plus de mille fois ; elle engendre de certains monstres, dont le visage approche du visage de femme. Il s'y en voit d'autres plus furieux qui ont la tête cornue et carrée et à peu près semblable à celle de nos pédants. Ceux-là ne s'occupent qu'à crier et ne disent pourtant que ce qu'ils se sont entendus dire les uns aux autres.

Le Fleuve de l'Imagination coule plus doucement ; sa liqueur, légère et brillante, étincelle de tous côtés. Il semble, à regarder cette eau d'un torrent de bluettes humides, qu'elles n'observent en voltigeant aucun ordre certain. Après l'avoir considérée plus attentivement, je pris garde que l'humeur qu'elle roulait dans sa couche était de pur or potable, et son écume de l'huile de talc. Les poissons qu'elle nourrit, ce sont des remores[2], des sirènes et des salamandres ; on y trouve, au lieu de gravier, de ces cailloux dont parle Pline, avec lesquels on devient pesant, quand on les touche par l'envers, et léger, quand on se les applique par l'endroit. J'y en remarquai de ces autres encore, dont Gigès[3] avait un anneau, qui rendent invisibles ; mais surtout un grand nombre de pierres philosophales éclatent parmi son sable. Il y avait sur les rivages force arbres fruitiers, principalement de ceux que trouva Mahomet en Paradis ; les branches fourmillaient de phénix, et j'y remarquai des sauvageons[4] de ce fruitier[5] où la Discorde cueillit la pomme qu'elle jeta aux pieds des trois Déesses[6] : on avait tenté dessus des greffes du jardin des Hespérides[7] . Chacun de ces deux larges Fleuves se divise en une infinité de bras qui s'entrelacent ; et j'observai que, quand un grand ruisseau de la Mémoire en approchait un plus petit de l'Imagination, il éteignait aussitôt celui-là ; mais qu'au contraire si le ruisseau de l'Imagination était plus vaste, il tarissait celui de la Mémoire. Or, comme ces trois Fleuves, soit dans leur canal, soit dans leurs bras, coulent toujours à côté l'un de l'autre, partout où la Mémoire est forte, l'Imagination diminue ; et celle-ci grossit, à mesure que l'autre s'abaisse.

Proche de là coule d'une lenteur incroyable la Rivière du Jugement ; son canal est profond, son humeur[8] semble froide ; et, lorsqu'on en répand sur quelque chose, elle sèche, au lieu de

50 mouiller. Il croît, parmi la vase de son lit, des plantes d'ellébore dont la racine, qui s'étend en longs filaments, nettoie l'eau de sa bouche. Elle nourrit des serpents, et, dessus l'herbe molle qui tapisse ses rivages, un million d'éléphants se reposent. Elle se distribue, comme ses deux germaines[9], en une infinité de petits
55 rameaux ; elle grossit en coulant ; et, quoiqu'elle gagne toujours pays, elle va et revient éternellement sur elle-même.

De l'humeur de ces trois Rivières, tout le Soleil est arrosé ; elle sert à détremper les atomes brûlants de ceux qui meurent dans ce grand Monde. ■

---

1. En mauvaise santé.
2. Poisson marin qui se colle aux navires à l'aide d'une ventouse et qui avait la réputation de les arrêter.
3. Roi de Lydie ; il possédait, dit-on, un anneau qui le rendait invisible.
4. Jeune arbre poussé sans avoir été cultivé.
5. Arbre fruitier.
6. Athéna, Héra, Aphrodite. La pomme d'or devait appartenir à la plus belle des trois : Pâris, qui jugeait, la remit à Aphrodite, qui lui avait promis l'amour d'Hélène de Sparte s'il votait pour elle.
7. Divinités chargées de veiller sur le jardin des dieux.
8 Eau.
9. Ses deux parents, les deux autres cours d'eau.

Les courants de transition : la préciosité, le burlesque et le rationalisme

Les années 1630 à 1661 représentent une période de **transition.** Qu'on la désigne sous les termes « baroque domestiqué », « baroque assagi » ou « pré-classicisme », cette période (qui couvre la fin du règne de Louis XIII, dominée par le cardinal de Richelieu et la régence d'Anne d'Autriche, appuyée de Jules Mazarin) marque un retour progressif à l'**ordre,** reconnaissable par une tendance à la **normalisation.** La volonté unificatrice se précise en effet et Richelieu, qui veille à l'orthodoxie, crée, en 1635, l'**Académie française.** Cette institution littéraire est chargée de veiller au respect et à la conformité de la doctrine officielle édictée par le roi. Le cardinal qui ne tolère en effet aucune opposition ni division de l'autorité s'intéresse donc de très près à la production littéraire. Par une **ordonnance,** il fait examiner, en 1629, tous les ouvrages destinés à l'impression avant de leur accorder **le privilège du roi,** c'est-à-dire l'autorisation de paraître. Dans le même temps, il encourage Vaugelas, l'un des premiers **académiciens,** à rédiger le *Dictionnaire de l'Académie,* dans lequel le langage est étudié de façon normative, canalisé et fixé comme modèle du « **bon usage** ». Comprenant assez vite le pouvoir des périodiques, Richelieu accorde également à Théophraste Renaudot le privilège de publier en 1631 *La Gazette,* « journal des rois et des puissants de la terre », laquelle se fait l'écho des événements, mais d'une manière toute conforme aux vues du pouvoir. La servilité de Renaudot a d'ailleurs donné lieu à de violentes attaques, et des « anti-gazettes » se sont multipliées, donnant naissance au **journalisme** en France. Le cardinal a donc exercé une action importante sur les lettres en combinant le contrôle et les encouragements. Il avait compris l'important pouvoir que lui conférait la mainmise de la presse et des livres.

Le courant précieux

La littérature des années 1630-1660 se discipline et se raffine également sous l'impulsion de la **préciosité**, qui cherche à se distinguer en fuyant le vulgaire et en transformant la banalité. Mais la préciosité, c'est d'abord l'expression d'une classe cultivée et raffinée de **femmes** mues par une volonté commune d'indépendance et d'émancipation : elles prônent le droit au divorce, à l'union libre, le contrat à l'année et cultivent des manières et un langage qui les distinguent des hommes qu'elles considèrent dans leur ensemble, comme des rustres et des oppresseurs. Dans les salons mondains (pendant plus de quarante ans, la marquise de Rambouillet réunit dans son célèbre hôtel les intelligences les plus brillantes), l'**aristocratie de l'esprit** l'emporte sur l'aristocratie de la naissance, et les bourgeois sont fréquemment admis, pour peu qu'ils répondent aux exigences intellectuelles et morales de ces cercles féminins et plus particulièrement à l'idéal de l'« **honnête homme** », distingué, cultivé et doué.

Ces réunions mondaines prennent souvent la forme de brillantes réceptions où les esprits se confrontent au travers des jeux littéraires et durant lesquelles se débattent les grandes questions littéraires du jour ou encore le juste emploi des mots. Le style précieux refuse la vulgarité et élabore une langue nouvelle : il transforme ainsi la métaphore en mélangeant les registres (« lèvres bien ourlées ») ainsi que le concret et l'abstrait (l'« intelligence épaisse ») ; il utilise l'adjectif substantivé (l'« inhumaine », l'« effroyable ») , le pluriel de concrétisation des mots abstraits (les « contentements », les « douceurs »), le complément de caractérisation (« homme de bon goût », « lettre d'excuse ») et préfère la périphrase à l'expression directe (l'« instrument de la propreté » de préférence à un balai, la « commodité de la conversation » plutôt qu'un « fauteuil »). Excessives parfois, les précieuses prêtent à la caricature. On le verra plus particulièrement chez Molière qui, dans *Les précieuses ridicules*, se moquera allègrement de leurs manières et de leur langage affecté. Cependant, les **métaphores** risibles et les **périphrases** solennelles de ces femmes sont surtout le fait de leurs détracteurs, car la langue précieuse est souvent originale, ingénieuse et savoureuse et elle contribuera grandement à donner à l'œuvre classique son raffinement et sa précision.

Les genres littéraires que privilégient les auteurs précieux sont la poésie et le roman. Outre les genres poétiques déjà utilisés par les générations précédentes, comme les stances, les sonnets, etc., les écrivains précieux cultivent avec prédilection les **petits genres**[13] qui dévoilent instantanément le trait d'esprit, la subtilité de la pensée, la finesse et la vivacité de l'expression. L'élégant poète de salon, Vincent Voiture, sera l'âme de l'Hôtel de Rambouillet pendant plus de vingt ans et le plus éminent de ses représentants. Une étonnante folie du romanesque s'empare aussi des cercles mondains. Le roman aristocratique, qu'on appelle aussi **roman mondain**, met en scène ni plus ni moins que des histoires extraordinaires, des personnages hors du commun, des comportements sublimes et des sentiments d'une quintessence si subtile qu'elle relève d'une analyse psychologique des plus raffinées. *L'Astrée*, œuvre principale d'Honoré d'Urfé, illustre toute cette tendance. Roman-fleuve de cinq mille pages, composé de cinq parties, divisée chacune en douze livres, *L'Astrée* constitue une somme romanesque contenant quelque deux cents personnages et plus de quarante histoires venant s'enchâsser dans l'intrigue principale. Ce roman évoque, dans un cadre bucolique, le mythe de l'âge d'or, cette époque bénie et révolue où les

13. Vous trouverez la description de quelques « petits genres » dans la plaquette 16, intitulée *Guide des procédés d'écriture et des genres littéraires*, publiée dans la même collection.

hommes vivaient en paix dans un monde d'harmonie, au sein d'une nature idyllique où ce sont les bergers qui détiennent les clés de la sagesse. Quoi de mieux pour tenir à distance l'ennuyeuse réalité que ce mythe pastoral qui cristallise les aspirations idéalistes d'une société qui cherche à s'évader.

Le courant burlesque

Parallèlement à la veine des romans idéalistes et en réaction même contre celle-ci se développe un autre courant dans la fiction narrative : celle des « histoires comiques » qui se situe entre la farce et le réalisme et dont la loi du genre est la dérision. Nourries d'une culture populaire ou bourgeoise, ces œuvres revendiquent le droit à la vérité des êtres et des choses, à la bassesse et même à la trivialité. Elles mettent donc en scène une humanité moyenne et même vulgaire. Inspirée surtout de la tradition picaresque et des romans héroïques et épiques dont elle parodie les rites, son comique est d'abord celui des contes gaillards dont l'intention satirique est évidente. Ainsi affranchie de tous les préjugés, interdits et tabous du temps, l'œuvre affiche son exigence de liberté, son matérialisme philosophique, son goût du plaisir, bref son libertinage. À cette fin, le burlesque recourt à divers procédés de dérision dont la ***parodie,*** qui consiste à imiter une œuvre en la déformant. Dans *Virgile travesti* (1648-1652), Paul Scarron tourne en dérision les aventures d'Énée racontées par Virgile. Il multiplie les détails concrets et les termes grossiers, utilise des formes poétiques pour traiter de sujets vulgaires, recherche les calembours, les équivoques gaillardes et les comparaisons triviales.

La ***satire*** traduit elle aussi cette aspiration à changer la société : peinture réaliste et humoristique des mesquineries et des injustices sociales. C'est le cas du *Roman comique* de Scarron (1651-1657), qui se veut la peinture d'une observation aiguë de la vie provinciale, mais aussi l'histoire bouffonne d'un roman démythifié où le romancier n'hésite pas à s'immiscer dans son œuvre, la commentant ironiquement, errant au hasard, résumant à l'emporte-pièce ou focalisant sur ce qui l'amuse. C'est aussi la peinture exacte des mœurs de la petite et moyenne bourgeoisie que l'on voit décrite dans *Le roman bourgeois* (1666) de Furetière, qui entend dénoncer la platitude et la bêtise de cette classe médiocre, mais aussi la satire du genre romanesque lui-même, faite d'intrusions sarcastiques, de critiques sur le roman et ses artifices, le tout dans un style parodique qui refuse de donner au lecteur ce qu'il est en droit d'attendre, privilégiant ainsi une esthétique du désordre et de la maladresse, sorte d'anti-roman en fait. La satire sociale transparaît également dans l'*Histoire comique des états et empires de la Lune (1657) et du Soleil (1162) de Savinien de Cyrano de Bergerac*, genre de conte philosophique, ancêtre de la science-fiction, écrite entre 1649-1652, mais publiée, à titre posthume, expurgée de ses principales audaces. L'auteur y propose une conception matérialiste de l'univers et crée un monde imaginaire où l'organisation sociale idéale sert de prétexte à la satire religieuse, politique, sociale et morale du monde en même temps que de leçon sur la conquête de la sagesse et de la liberté.

Le courant rationaliste

La littérature de cette période voit aussi cohabiter la pensée rigoriste de Pascal et des jansénistes de Port-Royal, de même que le **rationalisme** de **Descartes.** Le premier grand procès fait à un écrivain, Théophile de Viau, montre bien d'ailleurs que la liberté religieuse est impossible. Malgré cela, la bourgeoisie (parlementaire ou de robe), hostile par tradition et indépendance d'esprit au renforcement de la monarchie absolue et à la prépondérance papale, développe de plus en plus le goût de la pensée méthodique, le culte des valeurs authentiques, voire du rigorisme moral qui est à l'honneur chez les jansénistes de **Port-Royal.** Comme les cercles précieux, mais dans une direction différente, celui-ci devient un foyer littéraire essentiel. On s'y intéresse à la grammaire, à la logique, au sérieux de la pensée et à la netteté du style, éliminant pittoresque et désordre. Bien qu'austère, c'est la rigueur de cette doctrine qui conditionnera le classicisme autant que les finesses de la préciosité.

Bien qu'il soit d'abord philosophe et scientifique, Descartes tient également une grande place dans la littérature du 17e siècle. Dès 1637, son *Discours de la méthode* trace les grandes maximes d'une attitude intellectuelle et morale qui doit concilier le doute systématique (sans lequel règnent les préjugés et les débordements) et la nécessaire adaptation à l'ordre social. La méthode de Descartes, le cartésianisme, engendre donc une nouvelle conception de la connaissance où le raisonnement logique et la recherche de la vérité prennent toute leur place.

Délicatesse et pénétration de la préciosité, aspiration à un ordre moral prudent et éclairé chez les bourgeois, lucidité rigoriste de Port-Royal, clairvoyance cartésienne, telles sont les assises de la littérature classique vers le milieu du siècle.

Tableau 2 Les courants de transition en bref

- La littérature de transition marque un retour progressif à l'ordre, une tendance à la normalisation.
- La **préciosité** est l'expression d'une classe cultivée et raffinée, celle des salons mondains, où l'aristocratie de l'esprit prédomine et où s'élaborent les exigences intellectuelles et morales de « l'honnête homme ». Les thèmes précieux sont idéalistes et dévoilent les raffinements de la pensée et de l'analyse psychologique. Son style refuse la vulgarité et élabore une langue nouvelle, élégante et vivante. Ce courant est la voix du raffinement de l'esprit.
- Le **burlesque** est, à l'inverse, la voix de la dérision ; il utilise la parodie et la satire pour provoquer des changements sociaux.
- Le **rationalisme** cartésien, quant à lui, engendre un nouveau mode de raisonnement logique et développe un scepticisme qui gagne de nombreux esprits cultivés. Ceux-ci donnent à la raison tout son pouvoir.
- De leur côté, par un **libertinage** érudit, des libres-penseurs remettent en question les fondements de l'organisation politique et sociale. Ils sont la voix de la contestation.

Illustration du baroque assagi et de la préciosité en poésie : « La belle matineuse », extrait d'*Œuvres* de Vincent Voiture (vers 1645)

Présentation de l'auteur Fils de commerçant né à Amiens en 1597, Vincent Voiture parvient, malgré sa roture, à être introduit à l'hôtel de Rambouillet avant de devenir, grâce à son engouement spirituel et à son art du badinage, l'animateur et l'âme de ce cercle précieux. Il sera exilé de 1632 à 1634 à cause de ses liens avec Gaston d'Orléans, qui avait comploté contre son frère, le roi Louis XIII, mais il sera protégé à son retour par Richelieu et nommé à l'Académie française. Il poursuit alors son activité littéraire, mais ses œuvres, lettres et poésies ne seront publiées qu'après sa mort qui survient en 1648.

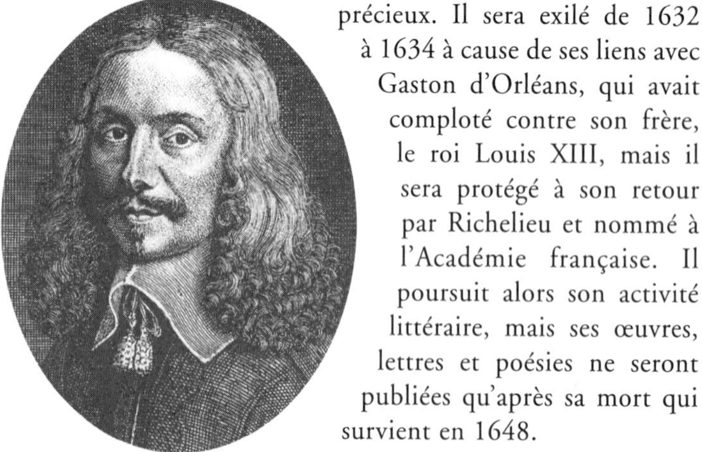
Vincent Voiture (1597-1648)

Présentation de l'œuvre et de l'extrait Poète de salon et proche parent de la marquise de Rambouillet, dont il fréquente assidûment le célèbre hôtel, Vincent Voiture est le maître incontesté de la poésie précieuse. Auteur de poèmes publiés après sa mort, de 1649 à 1658, il possède l'art de démystifier le sérieux et d'élever plaisamment le quotidien. Si la légèreté de son style séduit, l'extrême subtilité de son écriture et la recherche systématique de l'effet font souvent sourire.

Plusieurs poètes précieux, dont Claude de Malleville, Tristan l'Hermite et surtout Voiture lui-même, admiraient déjà le goût des contrastes chez les Italiens, au rang desquels figurait Giambattista Marino, qui fréquenta, de 1615 à 1623, l'hôtel de Rambouillet dont il devint la coqueluche. Initiateur d'une poésie brillante et sensuelle, nommée *marinisme,* cette poésie, fondée sur l'esthétique du concetto, sorte de métaphore poussée à l'extrême et rebondissant jusqu'à l'absurde même, fut adaptée et imitée par les poètes baroques et précieux, dont Voiture lui-même. Son esprit précieux, à la fois ingénieux et affecté, sera célébré dans toute la société mondaine et soulèvera de véritables débats littéraires (querelles des sonnets avec Malleville, puis avec Benserade). Ses *Lettres,* surtout, manifesteront sa verve et son imagination, et seront admirées de La Fontaine comme de Voltaire au 18e siècle.

Le thème de *La belle matineuse*, lieu commun de la poésie du 16e siècle, est souvent repris par les précieux. Cette jeune fille, que Vincent Voiture prénomme ici Philis, est d'une beauté si éclatante qu'elle éclipse celle du Soleil levant. Selon la mythologie, l'Aurore, amante du roi Céphale, se contente d'ouvrir les portes du ciel au Soleil levant avant de disparaître.

La belle matineuse[14]

Vincent Voiture

Des portes du matin l'Amante de Céphale[2]
Ses roses épandaient dans le milieu des airs
Et jetait sur les Cieux nouvellement ouverts
Ces traits d'or et d'azur qu'en naissant elle étale,

14. Vincent VOITURE, *Œuvres,* Édition posthume, 1649.

5 Quand la Nymphe divine, à mon repos fatale[3]
Apparut, et brilla de tant d'attraits divers
Qu'il semblait qu'elle seule éclairait l'univers
Et remplissait de feux la rive orientale[4].

Le soleil se hâtant pour la gloire des Cieux
10 Vint opposer sa flamme à l'éclat de ses yeux
Et prit tous les rayons dont l'Olympe se dore.

L'onde, la terre et l'air s'allumaient à l'entour,
Mais auprès de Philis[5] on le prit pour l'Aurore,
Et l'on crut que Philis était l'astre du Jour. ■

1. Celle qui se lève tôt.
2. L'Aurore, qui ouvre les « portes » du ciel, éprise du roi Céphale.
3. Fatale à mon repos : la femme aimée.
4. La lumière apparaît à l'Est.
5. Nom de la femme aimée.

Illustration d'une œuvre baroque assagi au théâtre : « Un débat intérieur », extrait du *Cid* de Pierre Corneille (1637)

Présentation de l'auteur Aîné de sept enfants, Pierre Corneille naît à Rouen, en 1606, d'une famille de petite bourgeoisie. Élève brillant, passionné par les auteurs latins, il fait ses études chez les Jésuites de Rouen de 1615 à 1622. Ayant entrepris des études de droit, il devient avocat en 1624, mais sa timidité l'empêche de plaider. Il se consacre dès lors à sa carrière littéraire.

Pierre Corneille
(1606-1684)

Ses débuts dans la comédie le font remarquer par Richelieu, et *Le Cid* assure sa gloire. La querelle qui en résultera l'éloignera pendant trois ans. Son retour à la tragédie, en 1640, ramène le succès. Il épouse Marie de Lamperière dont il aura sept enfants. Mais, en 1652, Corneille connaît un échec retentissant qui l'oblige à se retirer. En 1658, l'écrivain s'éprend d'une actrice, la marquise du Parc. Il reçoit alors une pension du roi et écrit quelques pièces qui lui vaudront un certain succès. Mais lorsqu'il revient à Paris, Corneille n'est plus à la mode, et le jeune Racine lui a volé la vedette. Un dernier regain de faveur fait jouer à Versailles six de ses grandes tragédies, en 1676. L'Europe redécouvre alors son œuvre. Il meurt en 1684.

Présentation de l'œuvre et de l'extrait Pierre Corneille écrit, en 1629, sa première œuvre, une comédie, *Mélite.* Le succès et la célébrité sont immédiats. Entre 1630 et 1634 se succèdent une tragicomédie, *Clitandre,* et quatre comédies, dont la réussite lui assure la protection du cardinal de Richelieu. En 1645, on joue *Médée,* sa première tragédie puis, en 1636, *L'illusion comique,* qui met en scène l'illusion du théâtre dans une pièce étonnante, d'esthétique baroque. L'année suivante, en 1637, Corneille triomphe avec *Le Cid,* une tragicomédie mettant en scène les amours conflictuelles de Rodrigue et de Chimène. Cependant, cette pièce suscite une controverse en 1638 : la « querelle du Cid ». La critique lui reproche de ne pas avoir respecté la règle classique des trois unités et de ne pas avoir écrit une pièce selon les conventions de l'époque.

Après *Le Cid,* Pierre Corneille se consacre à la tragédie. Entre 1640 et 1644 sont jouées les pièces *Horace, Cinna, Polyeucte* et *Rodogune.* Très apprécié par le public, Corneille est également reconnu par le pouvoir et devient membre de l'Académie française en 1647. En 1651, Corneille présente *Nicodème,* pièce qui est accueillie avec plus de réserve, puis *Pertharite* (1652), qui est son premier échec. Il décide alors de s'écarter du théâtre et n'écrit plus pendant sept années. En 1659, *Œdipe* marque son retour à la scène, mais son théâtre est passé de mode. Après *Agésilas* et *Attila, Tite et Bérénice* consacre, en 1670, son insuccès ; la pièce du jeune Jean Racine, *Bérénice,* sur le même sujet, plaît davantage. Corneille écrit ensuite *Psyché,* en collaboration avec Molière, et achève sa carrière, en 1674, avec *Suréna.*

Le Cid (1637) est la deuxième tragicomédie donnée par Pierre Corneille. Ce genre théâtral particulier se différencie de la tragédie par plusieurs aspects. D'une part, le sujet se nourrit davantage de péripéties romanesques que de données historiques contraignantes.

Dans le cas du *Cid,* Corneille s'inspire d'une pièce espagnole de Guillén de Castro, *Les enfances du Cid,* dont l'action principale est surchargée d'événements secondaires. D'autre part, la mise en œuvre de la règle des trois unités laisse au dramaturge une certaine liberté d'interprétation destinée à favoriser le foisonnement de l'invention romanesque ; ainsi, l'unité d'action est-elle souvent démentie par une ou plusieurs intrigues parallèles (comme l'amour impossible que voue l'infante à Rodrigue), inégalement solidaires de l'intrigue principale. L'unité de temps, quoique contenue dans l'intervalle de vingt-quatre heures consécutives, étire l'action sur deux journées successives (le combat contre les Maures est livré en pleine nuit). Enfin, la scène n'hésite pas à se déplacer dans des lieux différents d'une même ville, au gré des développements de la trame dramatique. Le succès prodigieux du *Cid* fut contesté par une polémique, la « querelle du Cid », dirigée par les adversaires de Pierre Corneille, dont Georges de Scudéry et Jean Mairet, et soutenue par les « doctes » de l'Académie.

Le Cid est avant tout l'évocation d'un drame intérieur de couleur nettement tragique. Rodrigue et Chimène y ressentent brusquement, au moment même où leur bonheur paraît assuré, le caractère irréconciliable de trois exigences également profondes : la légitime aspiration à l'épanouissement personnel, la nécessité de préserver l'honneur familial et le devoir d'obéissance au souverain. Le miracle de Pierre Corneille est moins d'avoir fait de la tragicomédie un chef-d'œuvre, que d'avoir donné à la tragédie une fin heureuse en accordant à ses héros le pouvoir de retourner une situation précisément tragique, sans jamais céder à la lâcheté ni à la complaisance, et sans que vienne les aider aucun événement extérieur imprévu ni aucune intervention surnaturelle.

- **Le monologue de Rodrigue**

  Au 11e siècle, à la cour d'Espagne, à l'époque où les rois catholiques repoussent les Maures, qui ont longtemps occupé le sud du pays, un jeune noble, Rodrigue, aime passionnément Chimène, qui appartient aussi à la haute aristocratie. Le mariage tout proche auquel ils sont promis est brutalement menacé par le conflit qui oppose don Diègue (père de Rodrigue) et le Comte (père de Chimène), devenus concurrents pour obtenir la charge de gouverneur auprès de l'infant. La rivalité alimente une vive querelle : souffleté par le comte don Gormas, le vieux don

Le Cid, Gérard Philippe et Sylvia Montfort au Théâtre national de Paris, 1953.

Diègue demande à Rodrigue de réparer l'offense et de venger l'honneur familial.

Le monologue que développe cette stance permet au héros d'instaurer un débat intérieur destiné à trancher le conflit en faveur de la solution la plus conforme à son mérite et à sa gloire.

Un débat intérieur[15]

Pierre Corneille

Percé jusques au fond du cœur
D'une atteinte imprévue aussi bien que mortelle,
Misérable vengeur d'une juste querelle,
Et malheureux objet d'une injuste rigueur,
5 Je demeure immobile, et mon âme abattue
Cède au coup qui me tue.
Si près de voir mon feu[1] récompensé,

15. Pierre CORNEILLE, *Le Cid,* 1637, Acte 1, scène 6, vers 201-350.

Ô Dieu, l'étrange peine !
En cet affront mon père est l'offensé,
10 Et l'offenseur le père de Chimène !

Que je sens de rudes combats !
Contre mon propre honneur mon amour s'intéresse[2].
Il faut venger un père, et perdre une maîtresse[3].
L'un m'anime le cœur, l'autre retient mon bras.
15 Réduit au triste choix ou de trahir ma flamme,
Ou de vivre en infâme,
Des deux côtés mon mal est infini.
Ô Dieu, l'étrange peine !
Faut-il laisser un affront impuni ?
20 Faut-il punir le père de Chimène ?

Père, maîtresse, honneur, amours,
Noble et dure contrainte, aimable tyrannie,
Tous mes plaisirs sont morts, ou ma gloire ternie.
L'un me rend malheureux, l'autre indigne du jour.
25 Cher et cruel espoir[4] d'une âme généreuse[5],
Mais ensemble[6] amoureuse,
Digne ennemi de mon plus grand bonheur,
Fer qui causes ma peine,
M'es-tu donné pour venger mon honneur ?
30 M'es-tu donné pour perdre ma Chimène ?

Il vaut mieux courir au trépas.
Je dois[7] à ma maîtresse aussi bien qu'à mon père :
J'attire en me vengeant sa haine et sa colère ;
J'attise ses mépris en ne me vengeant pas.
35 À mon plus doux espoir l'un me rend infidèle,
Et l'autre indigne d'elle.
Mon mal augmente à le vouloir guérir ;
Tout redouble ma peine.
Allons, mon âme ; et puisqu'il faut mourir,
40 Mourons du moins sans offenser Chimène.

Mourir sans tirer ma raison[8] !
Rechercher un trépas si mortel à ma gloire !
Endurer que l'Espagne impute à ma mémoire
D'avoir mal soutenu l'honneur de ma maison !
50 Respecter un amour dont mon âme égarée

Voit la perte assurée !
N'écoutons plus ce penser suborneur[9],
Qui ne sert qu'à ma peine.
Allons, mon bras, sauvons du moins l'honneur,
Puisqu'après tout il faut perdre Chimène.

55 Oui, mon esprit s'était déçu[10].
Je dois tout à mon père avant qu'à ma maîtresse :
Que je meure au combat, ou meure de tristesse,
Je rendrai mon sang pur comme je l'ai reçu.
Je m'accuse déjà de trop de négligence :
60 Courons à la vengeance ;
Et tout honteux d'avoir tant balancé[11],
Ne soyons plus en peine,
Puisqu'aujourd'hui mon père est l'offensé,
Si l'offenseur est père de Chimène. ■

---

1. Le feu de l'amour (image précieuse).
2. Prend parti.
3. Au 17e siècle, femme que l'on aime et dont on est aimé.
4. Il s'adresse à son épée.
5. Noble.
6. En même temps.
7. J'ai des obligations envers.
8. Sans demander réparation.
9. Cette pensée qui détourne du devoir.
10. Trompé.
11. Hésité.

Illustration d'une oeuvre baroque assagi au théâtre : la comédie « Un conquérant », extrait de *Dom Juan ou Le festin de pierre* de Molière (1665)

Présentation de l'auteur Jean-Baptiste Poquelin, dit Molière, naît en 1622 à Paris. Sa mère meurt alors qu'il est encore enfant, et son père, riche marchand et tapissier du roi, l'encourage à faire de solides études. Cependant, Molière décide de faire du théâtre. Avec les Béjart, une famille de comédiens, et d'autres amis acteurs, il fonde la troupe de l'Illustre-Théâtre et prend le pseudonyme de

Molière
(1622-1673)

Molière. Si ce nom évoque pour nous aujourd'hui la figure d'un auteur dramatique, il faut savoir qu'en réalité Jean-Baptiste Poquelin a exercé simultanément trois métiers : il a été à la fois un auteur, un comédien extraordinaire, en particulier dans les rôles comiques, et un directeur de troupe capable de négocier les autorisations de représentations. Il a su obtenir les faveurs et la protection de Louis XIV à une époque où les métiers du théâtre étaient condamnés par l'Église. C'est en jouant *Le malade imaginaire* qu'il meurt le 21 février 1673.

Présentation de l'œuvre et de l'extrait Les débuts de Molière à l'Illustre-Théâtre sont catastrophiques. La troupe ne rencontre aucun succès et, pour échapper aux dettes, doit fuir Paris, en 1645. Commence alors une série de représentations en province. Molière et ses comédiens se cantonnent initialement au répertoire tragique. Ce n'est qu'avec la comédie *L'étourdi,* représentée en 1655 à Lyon, que le succès s'affirme. Inspirés par la commedia dell'arte[16], les personnages et les thèmes de Molière restent cependant beaucoup plus proches de la vie réelle.

Le 24 octobre 1658, la troupe de Molière joue devant le roi. La farce intitulée *Le docteur amoureux* plaît vivement. Monsieur, le frère du roi, se fait le protecteur de Molière. Les comédies se succèdent, dénonçant de manière comique les ridicules de la société : *Les précieuses ridicules* (1659), *L'école des femmes* (1662). On reproche alors à Molière de ne pas respecter les règles classiques, ce à quoi il répond par *La critique de l'école des femmes.* Malgré ce premier scandale, Molière bénéficie toujours de la protection royale et continue à produire des pièces. En 1664, il écrit *Tartuffe,* comédie qui dénonce l'hypocrisie de certains dévots. Avant même d'être achevée, la pièce est attaquée et interdite. Molière doit écrire rapidement une nouvelle pièce ; sur un thème de

16. La commedia dell'arte repose sur un comique visuel et fait intervenir des personnages masqués, aux rôles stéréotypés.

l'auteur espagnol Tirso de Molina, il propose *Dom Juan,* histoire d'un chevalier libertin qui défie les lois des hommes et la loi de Dieu. Au bout de quelques semaines, la pièce est également interdite. En outre, Molière connaît des problèmes personnels : il est malade, et ses relations conjugales se dégradent. Il écrit néanmoins avec une activité accrue. En 1666, il étonne son public avec *Le misanthrope* et, en 1668, il présente trois pièces : *Amphitryon,* une pièce inspirée d'un sujet antique, qui connaît un grand succès ; *George Dandin,* une comédie cruelle, mal accueillie par le public ; et *L'avare,* qui connaît alors un échec. Ce n'est qu'en 1669 que la pièce *Tartuffe* peut enfin être présentée : Molière y a apporté quelques modifications et s'est expliqué au sujet de l'efficacité « curative » du rire provoqué par les ridicules mis en scène. La pièce plaît énormément. Suivent des comédies-ballets, dont *La comtesse d'Escarbagnas* et le célèbre *Bourgeois gentilhomme.* La comédie-ballet est un genre nouveau fondé sur un mélange de danse, de musique (en collaboration avec le compositeur Jean-Baptiste Lulli) et de machineries qui apportent une dimension spectaculaire supplémentaire. En 1671, Molière écrit une comédie à la mode italienne, *Les fourberies de Scapin.* Il renoue avec le succès en jouant *Les femmes savantes* (1672), comédie satirique qui caricature certaines pédantes. En 1673, sa dernière pièce, *Le malade imaginaire,* nous montre un vieil homme, Argan, obnubilé par son état de santé et trompé par sa seconde femme. C'est d'ailleurs en jouant le rôle d'Argan que Molière est pris d'un malaise sur scène dont il mourra quelques heures plus tard, soit le 21 février 1673.

Dom Juan semble ne présenter que peu de rapports avec les œuvres précédentes de Molière. L'auteur aurait vraisemblablement voulu se renouveler : la pièce requiert, en effet, plusieurs décors, principalement des « machines » et mêle curieusement le fantastique à la réalité familière. Ainsi voit-on, à côté de paysans esquissés avec exactitude, des spectres et une statue animée. De même, le comique y alterne avec le tragique.

Le personnage mythique de Dom Juan est fort populaire dans le monde occidental de l'époque, mais c'est un débauché, non un hypocrite. Molière en fait non seulement un séducteur, mais aussi un hypocrite et un impie : la miséricorde divine l'épargne peut-être un certain temps, mais lorsqu'au dernier acte, il feint une conversion, c'est le ciel qui intervient pour châtier l'imposteur. En fait, Molière trouve là une occasion nouvelle de s'attaquer à ses adversaires. Bien que le souci de l'auteur ait été de dénoncer une fois de

Alexandre Évariste Fragonard (1780-1850), *Dom Juan et la statue du commandeur*, Musée de Strasbourg.

plus la fausse dévotion (*Tartuffe*), Molière va plus loin et s'inspire ici davantage de l'esprit libertin : l'athéisme y est défendu par un homme vicieux, mais intelligent et même séduisant, et la religion, par un valet au bon sens un peu épais.

Dom Juan est bel et bien un séducteur et un libertin rebelle à toute autorité. Il a abandonné son épouse, Done Elvire et, au cours de sa fuite, il converse avec son valet, Sganarelle. Chacun a ainsi l'occasion d'exposer sa vision du monde (en totale contradiction avec celle de l'autre) et de la mettre en pratique au cours des nombreuses rencontres qui jalonnent leur errance. À la fin, chacun doit affronter la statue animée d'un noble que Dom Juan a tué. Celle-ci invitera le libertin à se repentir et, devant son refus, l'entraînera dans la mort.

Molière a non seulement insufflé à la comédie la puissante dérision de la farce, mais a fait accéder la prose à la dignité de langue théâtrale avec une ample composition en cinq actes, ce qui représentait à l'époque une totale nouveauté.

Dom Juan n'apparaît seulement qu'au premier acte de la scène 2. Son valet, Sganarelle, l'a présenté en son absence comme étant « un grand seigneur méchant homme ». Dans l'extrait ici proposé, Dom Juan se présente lui-même, pour contrer la remontrance de son valet qui lui avouait trouver « fort vilain d'aimer de tous côtés » comme il le fait.

Un conquérant[17]

Dom Juan, Molière

DOM JUAN : Eh bien ! je te donne la liberté de parler et de me dire tes sentiments.

SGANARELLE : En ce cas, Monsieur, je vous dirai franchement que je n'approuve point votre méthode, et que je trouve fort vilain
5 d'aimer de tous côtés comme vous faites.

DOM JUAN : Quoi ? tu veux qu'on se lie[1] à demeurer au premier objet[2] qui nous prend, qu'on renonce au monde pour lui, et qu'on n'ait plus d'yeux pour personne ? La belle chose de vouloir se piquer d'un faux honneur d'être fidèle, de s'ensevelir
10 pour toujours dans une passion, et d'être mort dès sa jeunesse à toutes les autres beautés qui nous peuvent frapper les yeux ! Non, non : la constance n'est bonne que pour des ridicules[3] ; toutes les belles ont droit de nous charmer[4], et l'avantage d'être rencontrée la première ne doit point dérober aux autres les
15 justes prétentions qu'elles ont toutes sur nos cœurs. Pour moi, la beauté me ravit partout où je la trouve et je cède facilement à cette douce violence dont elle nous entraîne. J'ai beau être engagé[5], l'amour que j'ai pour une belle n'engage[6] point mon âme à faire injustice aux autres ; je conserve des yeux pour voir
20 le mérite de toutes, et rends à chacune les hommages et les tributs[7] où[8] la nature nous oblige. Quoi qu'il en soit, je ne puis refuser mon cœur à tout ce que je vois d'aimable ; et dès qu'un beau visage me le demande, si j'en[9] avais dix mille, je les donnerais tous. Les inclinations naissantes, après tout, ont des
25 charmes inexplicables, et tout le plaisir de l'amour est dans le

17. MOLIÈRE, *Dom Juan ou Le festin de pierre,* Acte 1, scène 2, 1665.

changement. On goûte une douceur extrême à réduire[10], par cent hommages, le cœur d'une jeune beauté, à voir de jour en jour les petits progrès qu'on y fait, à combattre par des transports, par des larmes et des soupirs, l'innocente pudeur d'une
30 âme qui a peine à rendre les armes, à forcer pied à pied toutes les petites résistances qu'elle nous oppose, à vaincre les scrupules dont elle se fait un honneur et la mener doucement où nous avons envie de la faire venir. Mais lorsqu'on en est maître une fois, il n'y a plus rien à dire ni à souhaiter ; tout le
35 beau de la passion est fini, et nous nous endormons dans la tranquillité d'un tel amour, si quelque objet nouveau ne vient réveiller nos désirs, et présenter à notre cœur les charmes attrayants d'une conquête à faire. Enfin il n'est rien de si doux que de triompher de la résistance d'une belle personne, et j'ai
40 sur ce sujet l'ambition des conquérants, qui volent perpétuellement de victoire en victoire, et ne peuvent se résoudre à borner leurs souhaits. Il n'est rien qui puisse arrêter l'impétuosité de mes désirs : je me sens un cœur à aimer toute la terre ; et comme Alexandre[11], je souhaiterais qu'il y eût d'autres mondes,
45 pour y pouvoir étendre mes conquêtes amoureuses. ■

1. Qu'on s'engage à.
2. Être.
3. Des personnes ridicules.
4. Soumettre à la magie de la fascination.
5. Dans une aventure amoureuse.
6. Ne contraint pas.
7. Dettes.
8. Auxquels.
9. En : des cœurs.
10. Faire la conquête.
11. Alexandre le Grand (356-323 av. J.-C.) : roi de Macédoine dont les conquêtes militaires permirent de diffuser la civilisation grecque en Asie occidentale et en Égypte.

Le classicisme

Déjà, au début du siècle, un poète d'avant-garde, François de **Malherbe,** s'était dressé contre les traditions littéraires du siècle précédent en reprochant aux poètes de la Pléiade et, peut-être plus encore, aux grands rhétoriqueurs[18] leur négligence et leurs audaces. Malherbe a donc ouvert la voie au classicisme en réalisant un heureux équilibre entre la richesse de la Renaissance et la stricte ordonnance du classicisme qui allait naître, et ce, au moment même où ses contemporains baroques revendiquaient les droits de la libre inspiration et de la libre écriture. Son enseignement, fait de **logique** et de **clarté,** s'est imposé peu à peu en restaurant une discipline d'expression qui prendra toute sa valeur dans les grandes œuvres du classicisme. Puis, Richelieu a fondé l'Académie française en lui assignant la mission de diriger le goût littéraire, pendant que le grammairien **Vaugelas,** poursuivant l'œuvre de Malherbe, fixait le « bon usage » en matière de langue et que, dans les salons, les « précieuses » imposaient à l'art une direction morale et des conventions parfois tyranniques et que Pascal et **Descartes** préparaient l'avènement de la raison.

La doctrine classique

À partir de 1661, la monarchie centralisée de Louis XIV installe donc sa mainmise sur la littérature par le jeu des **pensions** et la création d'**académies** destinées à fixer des **normes** dans tous les domaines attirant les écrivains vers un art réglé et épris d'absolu. **Boileau** peut donc fixer, dans son *Art poétique* (1674), la **doctrine classique,** mais il faut savoir que celle-ci est déjà constituée et qu'il n'a, en fait, qu'à la rassembler.

Les fondements Le classicisme repose sur un idéal de **vérité** guidé par la primauté de la **raison.** Il faut donc faire vrai et **imiter** la nature humaine (les classiques n'ont aucun intérêt pour la nature extérieure) dans ce qu'elle a de plus profond et de plus universel. La raison est le guide de cette imitation. Elle permet d'exprimer clairement cette vérité, d'éviter toute faute contre le bon goût et de maîtriser les débordements de l'imagination ou de la sensibilité.

La soumission aux règles Pour respecter cet idéal de vérité, de beauté et d'absolu, et satisfaire aux exigences de l'art, l'écrivain classique doit se conformer à des **règles** qui lui imposent conformité, discipline et rigueur. Il doit se soumettre à ces règles parce

18. Voir dans la même collection la plaquette 1 intitulée *Le Moyen Âge et la Renaissance.*

qu'elles sont fondées en raison, l'expérience démontrant que, si elles n'assurent pas les mérites d'un ouvrage, elles sont du moins présentes dans toutes les grandes œuvres.

La première de ces règles, c'est l'**imitation des Anciens** parce que la postérité leur a consacré l'excellence : on pense qu'il est impossible d'aller plus loin qu'Homère ou Virgile dans la connaissance du cœur humain et que, si l'on veut faire vrai, il faut faire comme eux. L'écrivain classique doit aussi avoir le souci de **vraisemblance**, laquelle lui commande de présenter les choses non comme elles sont, mais comme elles devraient être. Ainsi, c'est par souci de vraisemblance que Jean Racine précise, dans sa préface de *Phèdre*, qu'il a pris soin d'atténuer le caractère odieux du personnage de Phèdre, jugeant que la calomnie avait quelque chose de trop bas pour la mettre dans la bouche d'une princesse. Cette règle de la vraisemblance a comme corollaire celle du respect des **bienséances**, sorte de consensus social de normalité et de moralité qui exige de ne

Une représentation théâtrale dans un jeu de paume, au 17e siècle. Dessin d'Abraham Bosse, *Intérieur d'un jeu de paume* (1630).

présenter que ce qui peut être convenable. Il est donc interdit de choquer ou d'aller à l'encontre des idées admises et de présenter des scènes violentes ou extravagantes, des caractères monstrueux, etc. C'est pourquoi, au théâtre, on interdisait, par exemple, de montrer sur scène un duel, un meurtre ou un suicide. Le classicisme impose de même la règle de l'**impersonnalité,** qui exige de l'écrivain qu'il s'efface derrière son œuvre et qu'il s'attache à l'étude de l'homme et de la nature humaine dans ce qu'ils ont d'universel et d'intemporel.

Le culte de la forme L'écrivain doit également respecter le **culte de la forme** et s'astreindre à un travail minutieux, non par simple goût du jeu, mais par nécessité. Si les idées ne peuvent être nouvelles puisqu'elles émanent de la raison, commune à tous les hommes, du moins doit-on s'efforcer de donner à leur expression plus de force et plus de vivacité. Par souci d'ordre et de clarté, les **genres littéraires** sont désormais **différenciés** (on ne les mélange plus), **codifiés** (ils sont soumis à des règles rigoureuses et contraignantes) et **hiérarchisés** selon leur degré de noblesse et de distinction. L'épopée, la tragédie et la comédie à fin moralisatrice sont des genres nobles, alors que la poésie, lyrique et satirique, de même que le roman ne sont guère appréciés par les doctes, les uns parce qu'ils valorisent l'individuel au détriment de l'universel ; les autres, parce qu'ils préconisent le réalisme cru, ponctuel et donc éphémère, au détriment du beau, du noble et de l'immuable, ou encore l'imagination au détriment du vrai. En fait, l'art classique doit tendre vers une fin moralisatrice et, si l'Antiquité reste un modèle, on imite les Anciens avec modération et discernement.

La finalité de la littérature **Plaire** et **instruire,** voilà des impératifs majeurs qui assurent la gloire de l'artiste, mais le condamnent à l'échec s'il y contrevient. L'un ne va pas sans l'autre : même la littérature religieuse doit se plier à ce jeu de séduction. Il s'agit, en fait, de plaire à un public choisi, l'aristocratie, de valoriser et de propager son idéal de l'« honnête homme » en instruisant par les œuvres. C'est pourquoi il n'y a pas vraiment, dans la seconde moitié du 17e siècle, d'écrivains solitaires : la littérature est davantage fondée sur un consensus, pour ne pas dire une collaboration, entre l'écrivain et le public pour qui les œuvres sont écrites. Or, ce public très restreint est presque exclusivement celui de Paris et de Versailles. Il se compose des gens de la cour, de politiciens, de grands bourgeois, de marchands et de commerçants qui gravitent autour du roi, et tous sont animés d'un même idéal, celui de l'ordre et de la perfection. Pour plaire à ce public, il faut donc répondre à ses exigences : être clair, ordonné, rigoureux, tant dans la structure que dans l'expression de l'œuvre. Toute l'esthétique classique se réduira à dégager de la complexité l'ordre qui permet de la saisir dans ce qu'elle a d'immuable et l'équilibre qui permet de l'apprécier.

Le théâtre classique

Ce que l'on appelle « théâtre régulier » est ainsi dénommé parce qu'il respecte un certain nombre de règles de fonctionnement. Le respect de la fameuse **règle des trois unités** authentifie désormais la pièce classique. Celle-ci doit être unifiée autour d'une intrigue principale (unité d'action) qui ne doit jamais être perdue de vue ; elle doit occuper une durée proche de la durée de la représentation et doit cantonner les faits dans les limites de vingt-quatre heures (unité de temps) ; enfin, elle doit prendre place dans une salle unique qui coïncide avec l'espace réel de la scène (unité de lieu). À ces trois unités s'ajoute une quatrième, l'unité de ton, qui interdit le mélange des genres. D'un côté se place la tragédie, qui met en scène des personnages éminents aux prises avec la fatalité et qui connaît un déroulement tendu s'achevant sur une fin malheureuse. De l'autre s'affirme la comédie, qui présente des personnages de moyenne ou de petite condition, saisis dans leur vie quotidienne, qui se développe sans tension et se termine par un dénouement heureux. Le théâtre régulier rejette donc la tragicomédie de la période précédente et se construit dans une forme faite de mesure et de concentration.

La comédie classique Au début du siècle, la comédie n'a aucun statut précis. Elle se résume à des spectacles de cour sans portée morale ni littéraire ou à des farces grossières. C'est à Molière qu'il reviendra de transformer la farce en comédie digne de l'esprit classique. Composant d'abord des farces, Molière s'inspire de la *commedia dell'arte* italienne avec ses personnages types (le serviteur espiègle, le vieil avare, le jeune homme étourdi) et ses situations stéréotypées. Puis, d'un acte, la farce passera à trois puis à cinq actes. Ses personnages sont désormais tirés de la société d'alors et visent particulièrement les vieux (bigots, riches, maniaques) qui tyrannisent la jeunesse, et les pièces se composent de plus en plus en vers. Les **procédés farcesques** sont toujours utilisés (coups de bâton, soufflets, grimaces, cérémonies burlesques), mais Molière joue particulièrement sur le **comique des mots** (calembours, coq-à-l'âne, répétitions systématiques, interruptions régulières...) et sur le **comique de situation** (déguisements, personnages cachés, etc.). Pour lui, la comédie doit s'attacher à la représentation exacte de la nature et, avec le temps, il accordera de plus en plus d'importance à la peinture des mœurs et des caractères. Bien que Molière puise dans le répertoire de ses prédécesseurs pour le choix de ses sujets, il concentre cependant toute son attention sur les travers et les ridicules de son temps qui manifestent les défauts permanents des hommes. Certaines de ces pièces susciteront une vive réaction de la part du parti dévot qui dénonce les attaques contre l'Église (*Tartuffe*) et les personnages scandaleux (*Dom Juan*). Pourtant, ce que Molière condamne, ce ne sont pas les principes religieux, mais bien le fanatisme auquel ils donnent cours. Si son œuvre prône le maintien de l'ordre établi, c'est que la raison l'emporte toujours et qu'elle exige de coutume le respect de la condition originelle : le bourgeois, même enrichi, restera un bourgeois, et jamais un valet ne sortira de sa condition.

La tragédie classique L'esprit classique développe également, au milieu du siècle, la tragédie, qui emprunte à la mythologie grecque et à l'histoire romaine ses nobles sujets politiques ou moraux. Chez Racine, toutefois, la tragédie deviendra avant tout une méditation sur la condition humaine. Même dans ses pièces politiques, telles que *Iphigénie* ou *Bérénice*, Racine ne traite que du déchirement de la passion provoqué par l'amour ou par l'ambition. Si, au siècle de l'ordre, la violence irrationnelle de la passion exerce une véritable fascination, celle-ci dépasse le drame sentimental et signe, chez Molière, la faiblesse de la nature humaine. Chez lui, contrairement à Corneille, la raison est vaincue : pour échapper à la souffrance d'une passion insatisfaite, le héros n'a d'autre choix que d'envisager la destruction de l'objet aimé, puis la sienne propre (Hermione, Phèdre). La tension dramatique et la pression psychologique sont donc les ressorts de la tragédie.

Tout l'art de Racine consiste à utiliser l'ensemble des ressources du discours et de l'analyse des sentiments, pour créer une tension émotionnelle constante et sans cesse renouvelée. Les personnages sont en lutte permanente : ils cherchent à vaincre leurs adversaires par tous les moyens, notamment par le chantage, l'humiliation, la séduction, l'appel à la pitié. Hésitants dans leurs décisions, ils luttent aussi contre eux-mêmes. Composée en cinq actes, la progression dramatique conduit inévitablement au dénouement tragique. Dès le début de la tragédie, les personnages sont habités de passions violentes. L'acte I fait surgir un événement extérieur provoquant une série de réactions qui s'enchaînent selon une logique des sentiments. La progression fait ainsi pressentir le dénouement tragique, jusqu'à ce que, vers l'acte IV, survienne un moment d'hésitation qui fait renaître l'espoir. Cependant, au dernier acte, les passions furieuses reprennent leur assaut et précipitent le dénouement fatal. L'utilisation d'une langue noble et d'un registre soutenu, adaptés à la situation sociale de ses personnages et le respect des bienséances en tout point conforme aux préceptes précieux, font de Racine le maître incontesté de la tragédie classique.

Le roman classique Le roman classique répudie lui aussi le foisonnement baroque. Il privilégie la concentration et le dépouillement donnant lieu à des récits concis (unité d'action et limitation du nombre de personnages), denses et vraisemblables qui refusent les conventions et les fantaisies des romans à la mode. Guilleragues atteint, dans ses *Lettres portugaises* (1669), la simplification extrême : l'action se déroule dans un lieu unique et dépouillé, un couvent, et il compte un personnage unique, une religieuse. Ce récit épistolaire fictif, composé de cinq lettres d'amour, adressées, d'après l'avis du libraire au lecteur, par une religieuse du Portugal à un officier français passionnément aimé, passe, à l'époque, pour authentique. Le succès de l'œuvre fut immédiat, surtout en raison de la vérité qu'y s'en dégageait : il contribuait à la démolition de la passion, en montrant sans complaisance ses effets dévastateurs. Événement littéraire majeur, l'œuvre annonce déjà le roman par lettres qui connaîtra un si grand développement au cours du 18e siècle.

Les romanciers classiques rejettent ainsi les fantaisies de l'imagination et prennent le réel pour modèle. Ils puisent donc leurs sujets dans l'histoire récente des Valois et des Bourbons et si quelquefois la vérité historique leur fait défaut, c'est qu'elle n'est qu'un moyen de permettre d'instruire par une analyse des hommes et de la société. Le réalisme de ces romans tient à la profondeur et à la subtilité de l'analyse psychologique, ainsi qu'à la peinture sans complaisance d'une vie sociale où les Grands ne cherchent qu'à satisfaire à leurs intérêts, où l'amour durable est impossible et où tout n'est qu'apparence et mensonge. *La princesse de Clèves* (1678), de Mme de La Fayette, en situant l'action de son récit à la cour du roi Henri II, donne un cadre historique somptueux et brillant, présentant, conformément à l'esthétique de l'époque, des personnages nobles et prestigieux. En entourant son héroïne des figures authentiques de l'histoire récente (le roi, les reines, Catherine de Médicis et Marie Stuart, le prince de Clèves, le duc de Nemours, etc.), elle laissait transparaître, sous le voile obligé des bienséances classiques, la corruption des mœurs, la cruauté des rivalités et des passions, et toutes ces réalités qu'on pouvait tout aussi bien observer à la cour de Louis XIV et imprimait du même coup à son roman le sceau de la vraisemblance. La romancière flattait ainsi le goût des lecteurs hostiles aux fantaisies des fictions baroques et mettait au service de la vérité une analyse implacable du cœur humain et une vision désenchantée du monde.

Les thèmes classiques

La littérature classique puise son inspiration dans des références et des modèles qui s'inspirent de l'**Antiquité** parce qu'ils ont atteint la perfection dans l'expression de la nature humaine. Aussi retrouve-t-on, dans les œuvres classiques, des thèmes exposant les **grandes vérités universelles de la nature et du cœur humains,** les grands idéaux de ceux-ci, ses aspirations grandioses, ses tragiques combats, ses sentiments conflictuels, sa haute morale, sa philosophie rationnelle et ses mœurs édifiantes. La tragédie exploitera, avec **Pierre Corneille** et **Jean Racine** par exemple, le thème du conflit dont l'homme sortira grandi chez Corneille ou défait chez Racine, ceux de l'honneur et de la fatalité, de l'amour sacrifié et de l'amour coupable, de la volonté, du libre-choix et de la raison (Corneille), de l'entière soumission de l'homme aux puissances divines (Racine), du pouvoir, de la gloire et de la mort.

La comédie, avec Molière, rira de l'être humain et de ses travers pour qu'il s'en corrige : de la fausse préciosité, de la fausse dévotion, de l'honnête homme ridicule, de l'avare, de l'hypocrite, etc. Le portrait permettra à **Jean de La Bruyère,** dans les *Caractères,* de peindre la nature et les mœurs de l'homme dans ce qu'ils ont de plus universel et d'en établir les forces et les faiblesses. **Jean de La Fontaine** avec les *Fables,* ou encore **Charles Perrault** avec les *Contes,* illustrent eux aussi cette nature humaine et la société qu'elle compose et sur laquelle ils jettent, sous une apparence plaisante, naïve et divertissante, un regard lucide, sinon acerbe, du moins critique et jamais dépourvu d'intentions moralisatrices. Les querelles religieuses favoriseront l'éloquence de **saint Vincent de Paul** et de **saint François de Sales**, les polémiques de **Blaise Pascal** et les envolées oratoires de **Bossuet** (*Épîtres* et *Sermons*), chacun visant à persuader de ses points de vue sur Dieu, sur l'univers, sur l'homme et son salut.

Les procédés d'écriture classique

L'écriture classique se caractérise par sa simplicité, sa clarté, sa pureté, son impersonnalité, son ordre, son équilibre et sa rigueur.

En poésie, François de Malherbe fait, au début du siècle, œuvre de précurseur. Son désir d'épurer la langue[19] l'amène à proposer de s'en tenir à « l'usage », de rejeter tout mot que la langue courante n'a pas assimilé et de rejeter les mots vulgaires ou les mots bas[20]. Déjà François de Malherbe, pour qui le langage se devait d'être l'expression d'une pensée rationnelle, recommandait un style simple, clair et ordonné, condamnant les images outrées, les pléonasmes inutiles, les métaphores inexactes ou trop prolongées. Ce poète, qui faisait de la poésie un métier devant s'appuyer sur une technique impeccable, a été très exigeant pour la rime, qui devait satisfaire l'œil comme l'oreille ; c'est ainsi qu'il a proscrit l'hiatus et l'enjambement, l'absence de césures, les chevilles et la cacophonie. Il prêchait généralement la difficulté comme condition de pureté, exprimant ainsi une pensée. Si on a pu lui reprocher d'entraver le libre élan de l'inspiration, il a cependant le mérite d'avoir mis en valeur la nécessité du métier poétique. L'usage de l'**alexandrin classique** (vers de douze pieds), avec une césure centrale qui partage le vers en deux parties égales de rythme identique (6/6), traduit bien ce souci d'équilibre.

Pour l'écrivain classique, le vocabulaire doit être simple, précis, limité et univoque. La phrase, claire et logique, doit être rigoureusement équilibrée ; la construction de la structure, répondre aux exigences codifiées du genre. Les figures de style sont mises au service de la démonstration et limitées au strict minimum, et ce,

---

19. Débarrasser la langue des mots étrangers, des archaïsmes, des termes techniques, des locutions patoises, des mots composés ou dérivés dont les écrivains du 16e siècle l'avaient encombrée.

20. Tous les mots qui risquent, par exemple, de provoquer une équivoque.

pour ne pas obscurcir la pensée, car l'écrivain doit rester caché derrière son œuvre, ne pas trahir sa présence et, si des sentiments personnels sont exprimés par les personnages eux-mêmes, il doit toujours s'agir de sentiments et de traits communs à l'ensemble des hommes, ce qui se manifeste notamment par la prédilection des classiques pour la maxime et la réflexion générale.

Il faut cependant rappeler que les classiques, même s'ils partagent une certaine conception de la littérature, ne forment pas un groupe homogène et ne respectent pas tous les règles à la lettre. Même les plus grands s'en écartent souvent, ce qui provoque des querelles littéraires. Dans l'ensemble, toutefois, l'esprit reste conservé.

Tableau 3 Le courant classique en bref

- Le classicisme exprime la grandeur, la noblesse et la rigueur du règne de Louis XIV.
- La doctrine classique rompt avec la tradition sensible ou contestataire du début du 17e siècle et prend pour assises l'ordre et la mesure.
- Art réglé, épris d'absolu et de vérité, le classicisme prône la primauté de la raison et impose la soumission aux règles : imitation des Anciens, souci de la vraisemblance, respect des bienséances, règle de l'impersonnalité, recherche de l'universalité, de l'intemporalité et de l'immuabilité.
- Cultivant la forme, il différencie, codifie et hiérarchise les genres littéraires. Ses thèmes traitent des grandes vérités universelles de la nature et du cœur humain, des grands idéaux de l'homme, de sa haute morale et de ses mœurs édifiantes ; son écriture vise l'équilibre, la rigueur, l'impersonnalité et l'universalité.
- Le courant classique est la voix de l'ordre, de la raison et de la vérité.

Illustration de la tragédie classique : « L'ultime confession », extrait de *Phèdre* de Jean Racine (1677)

Présentation de l'auteur Né à La Ferté-Milon dans l'Aisne, d'une famille de petite bourgeoisie, Jean Racine devient orphelin à l'âge de quatre ans et est laissé sans fortune. Il est élevé avec sa sœur par ses grands-parents qui sont acquis aux idées jansénistes. Il fréquente donc les « Petites-Écoles » de l'abbaye de Port-Royal.

Cherchant à sortir dans le monde, Racine gagne Paris, se lie d'amitié avec La Fontaine et mène une vie joyeuse. Il compose alors des poèmes. En 1664, il se lie avec Boileau et se lance dans l'écriture dramatique. N'hésitant pas à attaquer ses anciens maîtres de Port-Royal, Racine s'attache la cour et son public, et connaît la

Jean Racine
(1639-1699)

gloire, mais également l'échec. Ayant abandonné le théâtre, il devient historiographe du roi avec Boileau et se marie avec Catherine de Romanet, dont il aura sept enfants.

Sa vie change alors complètement : réconcilié avec Port-Royal, il mène une vie dévote et compose des cantiques. Quatre de ses filles entrent au couvent. Il meurt très pieusement à Paris en 1699, et demande à être enterré à Port-Royal des Champs.

Présentation de l'œuvre et de l'extrait Ayant fait des études classiques poussées qui lui permettent de lire les auteurs tragiques qui l'inspirent, tel Euripide, Racine commence sa carrière théâtrale par deux tragédies antiques, *La Thébaïde* (1664) et *Alexandre* (1665). Il se fâche à cette occasion avec ses maîtres de Port-Royal, qui condamnent le théâtre pour son esprit mondain et son immoralité.

Avec la tragédie *Andromaque* en 1667, Racine connaît enfin la gloire. Il est très apprécié de la cour, à qui il renvoie, par ses pièces, des images de grandeur. Il écrit alors les œuvres qui le consacrent comme maître de la tragédie classique. Inspiré de l'histoire (*Britannicus* en 1669, *Bérénice* en 1670, *Mithridate* en 1673), de la mythologie (*Iphigénie* en 1674, *Phèdre* en 1677), de l'Orient (*Bajazet* en 1672), Racine raconte dans ces œuvres le tragique destin de l'homme soumis à la fatalité des passions et des malédictions divines. Avec *Phèdre* s'achève cette longue série de succès. Une cabale, organisée par ses adversaires, fait siffler sa pièce et applaudir celle de son rival, Pradon, sur le même sujet.

Racine décide alors d'abandonner le théâtre et se concentre sur sa tâche d'historiographe du roi. Il se réconcilie enfin avec Port-Royal, à la demande de Mme de Maintenon et il écrit deux tragédies d'inspiration biblique pour les jeunes filles de la maison d'éducation de Saint-Cyr : *Esther* en 1689, et *Athalie* en 1691. Cependant, ses pièces sont interdites par le parti dévot. Racine renonce alors au théâtre. Il publie encore des *Cantiques spirituels* en 1694 et écrit une *Histoire de Port-Royal* qui affirme son attachement au jansénisme. Racine est la plus grande voix tragique du 17ᵉ siècle. Si sa vie, dont il y a peu à dire, et sa carrière semblent marquées par la réussite, son œuvre offre cependant l'image d'un monde rempli de passion, d'égoïsme, de refoulement et de cruauté.

Hippolyte, amant d'Aricie et fils de Thésée, est aimé de Phèdre, seconde femme de Thésée. L'annonce du retour de Thésée (III,1), que l'on croyait mort, précipite l'action vers un dénouement : Hippolyte est accusé par Phèdre de cet amour incestueux. Malgré

Marie Bell (Phèdre) dans le film de Pierre Jourdan (1968).

ses explications (IV,2), il ne parvient pas à convaincre son père de son innocence : Thésée appelle alors sur sa tête la malédiction de Neptune. Théramène, gouverneur d'Hippolyte, fait à Thésée le récit de la mort de celui-ci (V,6). Phèdre vient de prendre du poison. Avant de mourir, elle avoue à son mari qu'elle a menti en accusant Hippolyte.

Alors que le roi et son entourage s'abandonnent à leur chagrin et que retentissent encore les dernières paroles de Théramène, Phèdre arrive, défaillante, soutenue par une servante. À l'héroïne tragique est réservé de mourir sur scène, sous l'effet d'un poison qu'elle vient d'absorber, après avoir enfin, mais trop tard, avoué son crime.

L'ultime confession[21]

Jean Racine

PHÈDRE : Non, Thésée, il faut à votre fils rendre son innocence :
Il n'était point coupable.

THÉSÉE : Ah ! père infortuné !
Et c'est sur votre foi que je l'ai condamné !
5 Cruelle ! pensez-vous être assez excusée...

PHÈDRE : Les moments me sont chers ; écoutez-moi, Thésée :
C'est moi qui sur ce fils chaste et respectueux
Osai jeter un œil profane, incestueux
Le ciel mit dans mon sein une flamme funeste :
10 La détestable Œnone a conduit tout le reste.
Elle a craint qu'Hippolyte, instruit de ma fureur[1],
Ne découvrît un feu[2] qui lui faisait horreur :
La perfide, abusant de ma faiblesse extrême,
S'est hâtée à vos yeux, de l'accuser lui-même.
15 Elle s'en est punie, et, fuyant mon courroux,
A cherché dans les flots[3] un supplice trop doux.

---

21. Jean RACINE, *Phèdre,* Acte 5, scène 7, 1677.

Le fer aurait déjà tranché ma destinée ;
Mais je laissais gémir la vertu soupçonnée :
J'ai voulu, devant vous, exposant mes remords,
20 Par un chemin plus lent descendre chez les morts.
J'ai pris, j'ai fait couler dans mes brûlantes veines
Un poison que Médée[4] apporta dans Athènes.
Déjà jusqu'à mon cœur le venin parvenu
Dans ce cœur expirant jette un froid inconnu ;
25 Déjà je ne vois plus qu'à travers un nuage
Et le ciel et l'époux que ma présence outrage ;
Et la mort, à mes yeux dérobant la clarté,
Rend au jour qu'ils souillaient toute sa pureté.

PANOPE : Elle expire, Seigneur !

30 THÉSÉE : D'une action si noire
Que ne peut avec elle expirer la mémoire !
Allons, de mon erreur, hélas ! trop éclaircis,
Mêler nos pleurs au sang de mon malheureux fils !
Allons de ce cher fils embrasser ce qui reste,
35 Expier la fureur d'un vœu[5] que je déteste :
Rendons-lui les honneurs qu'il a trop mérités ;
Et, pour mieux apaiser ses mânes irrités,
Que, malgré les complots d'une injuste famille,
Son amante[6] aujourd'hui me tienne lieu de Fille ! ■

---

1. Mis au courant de ma passion pour lui.
2. Ardeur de l'amour.
3. Œnone s'est suicidée en se jetant dans la mer. Elle était la nourrice et la confidente de Phèdre.
4. Magicienne.
5. Réparer la folie, le vœu étant la malédiction que Thésée a prononcée contre Hippolyte.
6. Aricie, amante de Thésée et princesse de sang royal d'Athènes.

	BAROQUE	PRÉCIOSITÉ, BURLESQUE ET
LA LITTÉRATURE POÉTIQUE	**Malherbe** *Premières grandes odes* (1605) **Régnier** *Satires* (1600-1609) **D'Aubigné** *Les tragiques* (1616) **Viau** *Œuvres poétiques* (1621) **Saint-Amant** *Œuvres poétiques* (1629-1649)	**Maynard** *Œuvres complètes* (1632) **Voiture** *Poèmes* (1649) **La Fontaine** *Adonis* (1658)
LA LITTÉRATURE NARRATIVE	**D'Urfé** *L'Astrée* (1620) **Sorel** *La vraie histoire comique de Francion* (1623)	**Scarron** *Œuvres burlesques* (1643) *Le Virgile travesti* (1648-1652) *Le roman comique* (1651-1657)
LA LITTÉRATURE DRAMATIQUE	**Hardy** *Théâtre* (tome I-V) (1623)	**Corneille** *Mélire* (1629) *L'Illusion comique* (1636) *Le Cid* (1636) *Horace* (1640) *Polyeucte* (1642) *Rodogune* (1645) *Cinna* (1641)
LA LITTÉRATURE D'IDÉES		**Descartes** *Discours de la méthode* (1637) *Méditations* (1641) **Vaugelas** *Remarques sur la langue française* (1647)
LA LITTÉRATURE RELIGIEUSE	**Sales** *Introduction à la vie dévote* (1608)	
LA LITTÉRATURE ÉTRANGÈRE	**Shakespeare** *Hamlet* (1601), *Macbeth* (1605) **Campanella** *La cité du Soleil* (1603) **Cervantes** *Don Quichotte* (1606-1618) **Gongora** *Ode sur la prise de Larache* (1610) **Marino** *Adonis* (1623)	**Tirso de Molina** *Le trompeur de Séville* (1630) **Calderon** *La vie est un songe* (1631) **Jansénius** *Augustinus* (1640) **Hobbes** *Léviathan* (1651) *De corpore* (1655)

	CLASSICISME	
	Boileau *Satires* (1666-1716) *L'art poétique* (1674) *Le lutrin* (1674-1683)	
Cyrano de Bergerac *L'autre monde ou Les états et empires de la Lune et du Soleil* (1645-1650) **M. De Scudéry** *Le grand Cyrus* (1649-1653) *Clélie* (1654-1660)	**La Fontaine** *Contes et nouvelles* (1665) *Fables I-VI, Fables VII-XI* (1618-1678) *Fables XII* (1694) **Furetière** *Le roman bourgeois* (1666) **Guilleragues** *Lettres portugaises* (1669)	**Mme de Sévigné** *Début de la correspondance* (1670) **Mme de La Fayette** *La princesse de Clèves* (1678) **Saint-Évremont** *Lettres et écrits* (1680) **Perrault** *Contes* (en vers) (1694) *Contes de ma mère l'Oye* (1697)
Mairet *Sophonisbe* (1634) **Molière** *Les précieuses ridicules* (1659)	**Molière** *L'école des femmes, Tartuffe, Dom Juan, Le misanthrope L'avare* (1662, 1664, 1665, 1666, 1668) *Le bourgeois gentilhomme* (1670) *Les fourberies de Scapin* (1671) *Les femmes savantes* (1672) *Le malade imaginaire* (1673)	**Racine** *Les plaideurs* (1668) *Britannicus* (1669) *Bérénice, Bazajet, Milthridate* (1673), *Iphigénie* (1674), *Phèdre* (1677) *Esther* (1689) *Athalie* (1691)
Retz *Mémoires* (publiées en 1717) **Pascal** *Les provinciales* (1656-1657) *Pensées* (1670)	**La Rochefoucauld** *Maximes* (1664) **Perrault** *« Querelle »* (1687) **La Bruyère** *Caractères* (1698) **Fénelon** *Télémaque* (1696)	**Bayle** *Pensées diverses sur la comète* (1692) *Dictionnaire* (1697) **Fontenelle** *Entretiens sur la pluralité des mondes*(1696) *Dictionnaire sur l'Académie* (1684)
	Bossuet *Sermon sur la mort* (1662) *Oraison funèbre d'Henriette de France* (1669)	*Oraison funèbre d'Henriette d'Angleterre* (1670) *Oraison funèbre de Condé* (1687)
	Molinos *Le guide spirituel* (1675) **Spinoza** *L'éthique* (posth. 1677)	**Locke** *Lettre sur la tolérance* (1688) *Essai sur l'entendement humain* (1689)

Glossaire

Arts libéraux Ensemble des matières enseignées dans les écoles épiscopales, puis les universités au Moyen Âge, comprenant le *trivium* (grammaire, rhétorique ou art de bien parler, et dialectique ou art de la logique) et le *quadrivium* (arithmétique, musique, géométrie, astronomie). (p. 18)

Burlesque Style dont le comique provient du contraste entre le style familier, trivial, et le sujet noble, héroïque. Le style héroïcomique, au contraire, prête à des personnages de petite condition des manières recherchées sur le ton de l'épopée. (p. 23)

Contre-Réforme catholique Contre-offensive catholique amorcée par l'Église contre les protestants à partir du concile de Trente (1545-1563). (p. 3)

Épicurisme Doctrine d'Épicure (341-270 av. J.-C.) qui invitait à fuir la douleur ; par déformation, recherche du plaisir et de la volupté. (p. 18)

États généraux Dans l'Ancien Régime, assemblées des représentants des trois ordres (clergé, noblesse, tiers état), venus de tout le royaume, convoquées lorsque le roi l'estime nécessaire. Les délibérations se font par ordre. Les états généraux sont une instance de conseil et n'ont aucun pouvoir de décision. (p. 11)

Hégémonie Pouvoir prépondérant, dominateur, d'un État ou d'une classe sociale sur d'autres. (p. 14)

Humanités Voir **Arts libéraux.**

Libertinage Mouvement de pensée représenté surtout au 17e et au 18e siècles, et caractérisé par le refus des règles morales et sociales traditionnelles. Mais, alors qu'au 17e siècle, le libertin est plutôt un libre penseur sceptique et méfiant à l'égard de tous les dogmes, le mot libertin désigne davantage, au 18e siècle, un personnage aux mœurs dissolues, affranchi de toute contrainte morale ou sociale. (p. 23)

Marinisme Conception de l'émotion poétique véhiculée par le poète italien Giambattista Marino (ou Marini) qui a eu une influence considérable sur la littérature européenne au début du 17e siècle. Ce poète a activé une poésie où tout est destiné à susciter l'admiration de l'habileté formelle et des « extravagances [qui] rendent le monde beau ». Le style recherché, la langue nourrie de tous les dialectes et de mots empruntés à toutes les techniques ont donné naissance à cette poésie de la « belle tromperie » et des métamorphoses, poésie de la volupté et de l'ingéniosité. (p. 20)

Matérialisme Position philosophique qui considère la matière comme la seule réalité et qui fait de la pensée un phénomène matériel au même titre que les autres phénomènes. Le matérialisme antique est surtout représenté par Démocrite, Épicure et Lucrèce ; le matérialisme mécaniste, par Gassendi, Thomas Hobbes, Denis Diderot, Claude Adrien Helvétius, le baron d'Holbach, Julien Offroy de La Mettrie et Jean le Rond d'Alembert ; le matérialisme historique et le matérialisme dialectique, par Karl Marx, Friedrich Engels, Lénine, Mao Tsö-Tong (marxisme). (p. 22)

Ordonnance Nom réservé aux décrets qui émanaient du souverain sous la Restauration (1815-1830) et la monarchie de Juillet (1830-1848). (p. 11)

Parodie Contrefaçon ou travestissement moqueur d'un ouvrage littéraire. (p. 34)

Philosophie matérialiste Voir **Matérialisme.**

Rationalisme Doctrine où tout ce qui existe a sa raison d'être et peut donc être considéré comme intelligible. (p. 22)

Satire Œuvre qui s'attaque à quelque chose ou à quelqu'un en s'en moquant. (p. 34)

Stoïcisme Philosophie antique en faveur, notamment dans la seconde moitié du 16e siècle (au temps des guerres de religion). Le stoïcien s'efforce de s'abstenir de toute passion (impassibilité) de manière à vivre en perpétuelle harmonie avec lui-même et avec un monde soumis à la fatalité. Telle est la vertu à laquelle il faut parvenir par un constant effort sur soi-même, indifférent au plaisir et à la douleur, à la richesse comme à la pauvreté. (p. 18)

Taille La taille seigneuriale était une redevance payée au seigneur par les serfs et les roturiers. La taille royale était un impôt direct au profit du Trésor royal, payé principalement par les roturiers (tous ceux qui n'étaient pas nobles). (p. 13)

BIBLIOGRAPHIE

HISTOIRE

ARONDEL, M., LE GOFF, J. et J. RUDEL. *Du Moyen Âge aux temps modernes ; 1328-1715*, Paris, Bordas, coll. « Louis Girard », 1966.

BONNET, O. et M. VIROL *Aide-mémoire d'histoire universelle*, Paris, Bordas, coll. « Guides Bordas », 1993.

BRUNET, A. *La civilisation occidentale : les faits, les idées, les hommes, les œuvres d'Homère à Picasso*, Paris, Hachette Éducation, coll. « Faire le Point - Références », 1990.

DECAUX, A. et A. CASTELOT. *Dictionnaire illustré de l'histoire de France*, Périn éditeur, 1989.

DÉMIER, F. et autres. *Histoire 2ᵉ*, Paris, Belin, coll. « Robert Frank », 1993.

GUAY, M. *Histoire et civilisation de l'Occident*, Montréal, éditions Études Vivantes, 1991.

LANGLOIS, G. et G. VILLEMURE. *Histoire de la civilisation occidentale*, édition révisée, Laval, Beauchemin, 1992.

VAN HOUTTE, J.A. et J. DEMY. *La période moderne*, Tournai (Belgique), Casterman, coll. « Histoire et Humanités », 1963.

LITTÉRATURE

BEAUMARCHAIS, J.P., D. COUTY et A. REY. *Dictionnaire des littératures de langue française*, Paris, Bordas, 1984, 3 vol.

BIYIDI, O. *Histoire de la littérature française ; XVIIᵉ siècle*, Paris, Bordas, 1988.

CASTEX P.-G., P. SURER et G. BECKER. *Manuel des études littéraires françaises*, Paris, Hachette, 1967, 6 vol.

CAZABAN, C., H. SABBAH et C. WEIL. *Littérature 1ʳᵉ. Textes et méthode*, Paris, Hatier, 1994.

DARCOS, X. *Le XVIIᵉ siècle en littérature*, Paris, Hachette, coll. « Perspectives et Confrontations », 1987.

DARCOS, X. *Histoire de la littérature française*, Paris, Hachette Éducation, coll. « Faire le Point - Références », 1992.

DEHUSSES, P. *Dix siècles de littérature ; 1 - du Moyen Âge au XVIIIᵉ siècle*, Paris, Bordas, 1984.

DOUCEY, B. et autres. *Littérature 2ᵉ. Textes et méthode*, Paris, Hatier, 1993.

HORVILLE, P., dir., *Anthologie de la littérature française*, Paris, Larousse, coll. « Classiques Larousse », 1994, 5 vol.

LAGARDE, A. et L. MICHARD, *Les grands auteurs français du programme*, Paris, Bordas, coll. « Littéraire », 1967, 6 vol.

MAGGI, G. *Littérature française. Du Moyen Âge à 1950*, Montréal, Les éditions Point Carré, 1994.

MASSON, N. *Panorama de la littérature française. Les courants, les auteurs, les œuvres, du Moyen Âge au XXᵉ siècle*, Alleur (Belgique), Marabout, coll. « Marabout Service », n° 101, 1990.

MITTERAND, H., dir., *Littérature, textes et documents*, Paris, Nathan, coll. « Henri Mitterand », 1986-1987, 5 vol.

POTELET, H. *Mémento de la littérature française*, Paris, Hatier, coll. « Profil - Littérature », n° 128-129, 1990.

CRÉDITS PHOTOGRAPHIQUES

Couverture : Lauros/Giraudon - p. 7 : Musée des Beaux-Arts, Orléans - p. 12 : The Royal Collection © Her Majesty Queen Elizabeth II - p. 20 : Bibliothèque nationale de France-Paris - p. 28, 36 : Édimédia/Publiphoto - p. 38 : Réunion des musées nationaux - p. 41 : Varda/Archive Photeb - p. 44 : Jean-Loup Charmet - p. 46 : Musée de Strasbourg - p. 50 : Bibliothèque nationale de France-Paris - p. 58 : Édimédia/Publiphoto - p. 59 : Claude Schwartz, 1997.

Index